ANDORRA

METHUEN'S TWENTIETH CENTURY GERMAN TEXTS

ANSICHTEN EINES CLOWNS by Heinrich Böll
Edited by William Hanson

DER AUFHALTSAME AUFSTIEG DES ARTURO UI by Bertolt Brecht
Edited by D. G. and S. M. Matthews

DER GUTE MENSCH VON SEZUAN by Bertolt Brecht
Edited by Margaret Mare

DER KAUKASISCHE KREIDEKREIS by Bertolt Brecht
Edited by Bruce Thompson

FÜNF LEHRSTÜCKE by Bertolt Brecht
Edited by K. A. Dickson

DER BESUCH DER ALTEN DAME by Friedrich Dürrenmatt
Edited by Paul Ackermann

ANDORRA by Max Frisch
Edited by H. F. Garten

BIEDERMANN UND DIE BRANDSTIFTER by Max Frisch
Edited by P. K. Ackermann

DON JUAN ODER DIE LIEBE ZUR GEOMETRIE by Max Frisch
Edited by D. G. and S. M. Matthews

DER JÜNGSTE TAG by Odön von Horváth
Edited by Ian Huish

IM WESTEN NICHTS NEUES by E. M. Remarque
Edited by Brian O. Murdoch

DER HAUPTMANN VON KÖPENICK by Carl Zuckmayer
Edited by H. F. Garten

METHUEN'S TWENTIETH CENTURY TEXTS

MAX FRISCH

Andorra

STÜCK
IN ZWÖLF BILDERN

Edited by
H. F. GARTEN, D.Phil.

Methuen Educational Ltd
LONDON · NEW YORK · SYDNEY
TORONTO · WELLINGTON

This school edition first published in Great Britain 1964
by Methuen Educational Ltd
11 New Fetter Lane, London EC4P 4EE
Reprinted ten times
Reprinted 1985

Printed in Great Britain by
J. W. Arrowsmith Ltd, Bristol

ISBN 0 423 82780 4

The publishers are grateful to the author
and Suhrkamp Verlag for permission to prepare
a school edition of this work.

CONTENTS

INTRODUCTION

MAX FRISCH

HIS BACKGROUND

For more than five years during the Second World War, Switzerland was a small island of peace, surrounded by Hitler's armies. Her German inhabitants were the only German-speaking people untouched by Nazism; consequently the country preserved its social and intellectual life almost unscathed. Its cultural centre, Zürich, became a rallying-point for artists and writers escaping from Nazi Germany.

It was largely due to this unique position that Switzerland experienced an intellectual upsurge unprecedented in her history. Its most prominent exponents were the two playwrights Max Frisch and Friedrich Dürrenmatt, who emerged almost simultaneously at the end of the war – the first Swiss playwrights to gain world fame.

The privileged position Switzerland enjoyed in the world conflict had, however, two aspects. Much as they gained materially by their neutrality, the Swiss people developed a peculiar kind of 'bad conscience' for having been spared. Closely linked to their German neighbours by ties of language and tradition, they had watched appalled the horrors of the Third Reich and its downfall in a welter of destruction. A deep-seated sense of guilt can be felt in the works of the two Swiss playwrights, especially Max Frisch. Their criticism is not so much aimed at the outside world as at their own country, the complacency and materialism of its citizens. They see in Switzerland, with her economic prosperity, her secure middle-class society, a 'model' of the Western world at large. Far from seeking salvation in a radical solution on the Eastern pattern, they are nevertheless acutely aware of the dangers lurking beneath a seemingly stable surface. It is this universal aspect which gives the works of Frisch and Dürrenmatt an importance far beyond the borders of their own country.

It is no mere accident that Swiss intellectual life found expression primarily in the theatre. All through the war, the Zürich Schauspielhaus was the leading German-speaking stage – in fact, the only one that kept in touch with developments in the outside world. It was here that the later plays of Brecht were first performed – almost as soon as he had written them in his Scandinavian and American exile: *Mutter Courage* in 1941, *Der gute Mensch von Sezuan* in 1942, *Leben des Galilei* in 1943. These were followed by the Zürich première, in 1944, of Thornton Wilder's *The Skin of Our Teeth* – a play that was to make a profound impact on the German post-war theatre.

Besides the Zürich Schauspielhaus, another theatrical venture proved of vital importance: the satirical cabaret flourishing in Zürich during the pre-war years. There was, first of all, *Die Pfeffermühle* (led by Erika Mann, a daughter of Thomas Mann), which poured scorn on the growing power of Nazism, and the *Cornichon*, which satirized Swiss life, mostly in local dialect. These cabarets practised the 'alienation effect' long before it became a theory of stagecraft. With their compère, their direct appeal to the audience, their satirical songs and choral ensembles, they had a vital influence on the dramatic forms employed by Frisch.

HIS LIFE AND WORKS

Max Frisch was born on 15 May 1911, in Zürich, the son of an architect. After attending a Zürich Realgymnasium he matriculated at the University to read Germanistik. Owing to the death of his father in 1933, he had to give up his studies and earned his living for some years as a journalist, travelling widely in Yugoslavia, Greece, and Turkey. At the age of twenty-five, he took up the study of architecture at the Zürich Technische Hochschule, where he took his degree in 1940. Before then, however, he was called up and served off and on for the duration of the war. His first publication was a journal of army life under the title *Blätter aus dem Brotsack* (1940). This was followed by a novel *J'adore ce qui me brûle oder Die Schwierigen* (1943) and a prose fantasy *Bin oder die Reise nach Peking* (1944). At the same time, he wrote his first plays, *Santa Cruz* (1944) and *Nun singen sie wieder*, which had its première at the Zürich Schauspielhaus in spring 1945. There followed, as his third play, *Die chinesische Mauer*, first performed in autumn 1946.

Soon after the end of the war, Frisch travelled extensively in war-ravaged Europe, especially in Germany. The deep impact these journeys made upon him found expression in his *Tagebuch 1946–1949*, a personal document of prime importance. Apart from providing an insight into the impressions and reflections caused by his contact with other nations, victors and defeated alike, these journals are a rich source of his later creative work. They contain, in embryo, plans and sketches for most of the plays Frisch was to write over the next decade.

Apart from his literary work, Frisch continued to practise as an architect. Already during the war he had won the first prize in a competition for a swimming-pool in Zürich. This establishment, Letzigraben, built between 1947 and 1949, stands today as a monument to Frisch the architect. In 1955, he drafted the design for a new town which was to demonstrate the vitality of Switzerland. Throughout, Frisch took his stand on the side of the present and the future, as opposed to Swiss traditionalism. With the help of the Rockefeller Foundation, he travelled for a year in the United States and in Mexico. His impressions of these travels are reflected in several speeches and essays on problems of modern architecture, as well as in his literary work. In 1955, he gave up his job as an architect to devote himself entirely to writing.

The greatest single influence on Frisch was without doubt the drama of Brecht. During his formative years, he had the opportunity of seeing the last plays of Brecht, when they were first performed at the Zürich Schauspielhaus during the war. More important still was his personal contact with Brecht in 1948–9, when the latter, after returning from America and before going to East Germany, stayed at a lakeside village near Zürich. In his *Tagebuch*, Frisch gives a vivid account of their frequent meetings—one of the most illuminating portrayals of that outstanding German playwright. Without sharing Brecht's political commitment, Frisch adopted many of his technical innovations, especially the direct address to the audience, which 'alienates' the action and forces the spectator to judge rationally what he sees. Secondly, Frisch evolved step by step the form of parable play, which uses the action to demonstrate a universal moral. Also Frisch's love of experiment, his habit of repeatedly revising his plays, and of commenting on their thought-content and realization on the stage, owe much to Brecht.

A second significant influence came from Thornton Wilder, especially his two plays *Our Town* and *The Skin of Our Teeth*. *Our Town* introduces, perhaps for the first time in modern drama, a kind of compère in the figure of the Stage Manager, who addresses the audience and comments on the action. It also 'alienates' the scene by using make-shift props, thus destroying the illusion of reality. *The Skin of Our Teeth*, on the other hand, deliberately abolishes any time sequence, ranging freely over the whole of man's history from the Ice Age to the present day. Here, too, stage illusion is completely destroyed through deliberate anachronisms, improvisations, and make-shift scenery.

It is to these two playwrights, Brecht and Wilder, that Frisch owes much of his dramatic technique. But he uses it for his own purposes, gradually developing his unmistakable type of play.

HIS DEVELOPMENT AS A PLAYWRIGHT

It is difficult to trace a consistent development in a writer whose work is still in the process of growth. The task is even harder in the case of Max Frisch, who has the disconcerting habit of revising his plays years after they have been written, thus producing two, or even three versions. In the following, I shall deal with the plays in the order in which they were first written, basing my analysis on their last published versions. Even so, a distinctive development, both in form and subject-matter, can be discerned in the eight plays Frisch has written up to *Andorra*.

His earliest play, *Santa Cruz* (1944), subtitled 'Eine Romanze', is at first glance a romantic play on rather traditional lines. A middle-aged couple, living in a secluded castle, one day receive a visit from a tramp, symbolically named Pelegrin. The wife recognizes him as the lover she knew many years ago in a tropical port, Santa Cruz. His appearance stirs up hidden longings for adventure and freedom in both man and wife. But now it is the husband who sets out for a new life – only to return to his wife, realizing that it is too late. While the two are reconciled in a spirit of resignation, Pelegrin quietly dies. But by his presence he has forced them to face the truth, lifting their marriage to a higher plane. The play turns on the contrast between youth and age, past and present, adventure and security – a contrast symbolized by the endless snow enveloping the castle and the glaring tropics of their dreams. What is striking is the dramatic technique: the play not only moves on two levels, reality and dream, it also fuses past and present. In his *Tagebuch*, Frisch reflects that 'time' is merely an expedient of the mind, which unfolds in a sequence (*Nacheinander*) what is really coexistent (*Ineinander*); in fact, life is the simultaneous presence of all potentialities (*Allgegenwart alles Möglichen*). We shall find the same technique of merging past and present in some later plays.

Already in his second play, *Nun singen sie wieder* (the first to be performed), Frisch turned to the contemporary scene, which was to become his main subject. Written during the last months of the war, this play, subtitled 'Versuch eines Requiems', shows his deep horror at Nazi atrocities. However, his compassion is greater than his condemnation. The scene shifts from the shooting of hostages by German soldiers to a British bomber squadron, from a German air-raid shelter to what seems like occupied France. Only gradually do we realize that the characters in the last scene – airmen shot down behind the enemy lines – are in fact dead. At crucial moments of the play, the hostages shot at the beginning are heard singing – a haunting reminder of the inhumanity of war. Once again, in this strangely moving play, two planes are indissolubly fused – this time, life and death.

Die chinesische Mauer (1946) centres on the impasse man has reached through the invention of the atom bomb. Frisch calls it 'Eine Farce', but it is in fact a fantastic masque ranging over two thousand years of world history, from 200 B.C. (the building of the Great Wall of China) to the present day. The characters are stock figures from history and fiction, including an emperor of China, Columbus, Napoleon, Philip of Spain, as well as Don Juan, Romeo and Juliet, etc. Logical time sequence is abolished; the stage, as the author says, is 'our consciousness'. The Wall of China, which forms the permanent background, symbolizes man's futile attempt 'to hold up time'. The whole is held together by 'The Man of Today', a kind of compère and commentator, who acts as the author's mouthpiece. The main theme of the play is power, variously embodied by the despots of all ages, and its potential capacity in our time to wipe out mankind. In the end, the Man of Today comes to realize that the intellect is powerless to stem the course of history, and that his warning must fall on deaf ears. But the author's message is not entirely negative: there is always 'the voice of the people', personified by a dumb man. Though this humble Chinese water-carrier is persecuted and tortured by the powers that be, his silent challenge remains.

In *Als der Krieg zu Ende war* (1949) Frisch returned to a more conventional form of drama. The play was prompted by the author's visit to devastated Berlin soon after the war, and is based on a true case. A German woman, hiding in her cellar with her husband just back from the war, decides to approach a Russian officer billeted in the house, to throw herself on his mercy. Unexpectedly, she falls in love with the Russian and starts deceiving her husband, who, as it turns out, is guilty of war crimes. In the final version (1962), the author has discarded the last act, in which the wife, faced by an insoluble dilemma, takes her own life. In a postscript, Frisch gives an illuminating comment on this somewhat melodramatic story.

The case, he admits, is exceptional. However, it illustrates one of his basic ideas: the commandment, 'Thou shalt not make unto thee any graven image', should also be applied to our fellow men. By seeing other nations according to a preconceived idea, we fail to grasp what is unique and essential in every individual. This we can do only when we love. By loving a Russian, the woman has broken down the 'graven image' we have made of 'the Russians'. This basic idea underlies several of Frisch's works; it also forms the central theme of *Andorra*.

The subject of his next play, *Graf Öderland* (1951), occupied Frisch for fifteen years. It was suggested to him in 1946 by a newspaper report of a bank clerk, who, without any apparent motive, killed his entire family with an axe. In his *Tagebuch*, Frisch commented that our urge to find a 'motive' for this deed springs from the need to assure ourselves that such a thing could never happen to us. He ended with the question, 'Why do we talk so much about Germany?' This association of an individual crime with a large-scale revolutionary movement forms the basis of the play. A public prosecutor, the very embodiment of law and order, burns all his files on a sudden impulse, leaves his home and turns into a mass murderer, assuming the name 'Graf Öderland' from a popular ballad. His weapon is an axe, which by and by becomes a symbol of revolt. At first he gathers a crowd of outcasts in the woods (not unlike Karl Moor in Schiller's *Die Räuber*, but without any idealistic motives). Eventually, he becomes the leader of a terrorist movement, which from the sewers beneath the city challenges the established order. In the three existing versions of the play, Frisch has given the story different endings: in the first two (1951 and 1956) the hero cynically reinstates the Government and chooses death as the only way of gaining real freedom, while in the last one (1961) it is left open whether the whole thing was not merely a dream. With the compelling logic of a nightmare, the play illustrates the close proximity of order and chaos in the soul of man, and in society at large. Its cynical conclusion – the meek surrender of bourgeois society to brute force – foreshadows Frisch's parable of *Biedermann und die Brandstifter*.

As if to find relief from his oppressive visions of the contemporary world, Frisch now turned to the past and to comedy. *Don Juan oder Die Liebe zur Geometrie* (1953) is an ironic paraphrase of the age-old theme: in Frisch's version, Don Juan is really a woman-hater, whose only love is the most rational of intellectual disciplines – geometry. But it is just by his indifference that he proves irresistible to women. In order to rid himself of his amorous entanglements, he stages his traditional journey to hell – only to finish up in marriage, the true end to Don Juan's career. Frisch's Don Juan is an intellectual, seduced rather than seducer – a distant relative of Shaw's Don Juan in *Man and Superman*.

It was only after an interval of five years, devoted to the writing of two novels, *Stiller* and *Homo Faber,* that Frisch returned to the stage. His play *Biedermann und die Brandstifter* (1958), originally written as a radio play, was the first to gain him international fame. It shows a new departure, or rather, the achievement of a form towards which he had been feeling his way in his earlier plays – the parable. Frisch calls it 'Ein Lehrstück ohne Lehre', using a term coined by Brecht for a series of short didactic plays demonstrating the Marxist doctrine. The English rendering, 'morality without a moral' associates it with the medieval morality, which used a similar form to illustrate Christian teachings. Frisch's addition 'ohne Lehre' is obviously ironic, for no doubt a 'moral' is implied.

The central character, Biedermann (meaning 'honest man', 'worthy') is a kind of modern Everyman – an average, good-natured bourgeois. Though disquieted by mysterious fires which have recently broken out in the city, he takes an unknown tramp into his house and even offers him the attic as a lodging. Presently the tramp is joined by a sinister accomplice, and both start piling up petrol cans and laying fuses. Biedermann, though growing more and more suspicious, fails to take any steps; on the contrary, he goes out of his way to make them comfortable, hoping to conciliate them by treating it all as a joke. In the end, he even hands them the matches with which they set fire to the house and, ultimately, blow up the whole city. All along, a chorus of firemen comment on the action, voicing, in mock-classical verse, their inability to intervene before it is too late. The fire-raisers have been variously interpreted as representing Nazism, Communism, or the threat of atomic war. A pointer to Frisch's intentions is given by the date he first conceived the idea of the play. In his *Tagebuch* of 1948, a prose draft of the plot follows immediately on an entry recording the Communist *coup d'état* in Czechoslovakia (a country he had visited shortly before). There can be no doubt that Frisch, in conceiving his parable, had this event in mind. However, the poignancy of his play lies in its universality: the fire-raisers stand for evil in any guise, and Biedermann personifies the ordinary man who hopes to ward it off by coming to terms with it.

When it was first performed in Zürich, 1958, *Biedermann und die Brandstifter* (which is in one act) was followed by a slight farce, *Die grosse Wut des Philipp Hotz*, intended as comic relief. For the German première of *Biedermann* in the same year, Frisch extended it to a full-length play by adding an epilogue. Biedermann and his wife, finding themselves in hell after the catastrophe, protest their innocence, while the two fire-raisers appear as Satan and Beelzebub, who finally return to earth to resume their activities. This epilogue adds hardly anything new to the substance of the play, and has since been discarded by the author. The full significance of the parable is contained in the one terse act leading to its logical conclusion – the destruction of the city.

In *Biedermann und die Brandstifter,* Frisch found the form which served him for his next play, *Andorra.*

ANDORRA

ORIGIN AND THOUGHT-CONTENT

Andorra was written between 1958 and 1961, and first performed at the Zürich Schauspielhaus on 2 November 1961. A few months later, it had its German première at three theatres simultaneously, in Munich, Frankfurt, and Düsseldorf. Since then, it has been played by most West German theatres and has been generally acclaimed as one of the most important plays since the war.

The germ of *Andorra*, as of so many of Frisch's plays, can be found in his *Tagebuch 1946–1949*, in a prose sketch entitled *Der andorranische Jude* (see p. xxviii). From internal evidence it may be taken that this prose sketch was written in April or May 1946, on his first visit to war-ravaged Germany. Evidently the idea sprang to his mind under the immediate impact of the German post-war scene, shortly after the collapse of the Nazi régime.

It is intriguing to compare the original sketch with the completed play. The basic idea is told in the form of a parable. A young man is taken by his fellow-citizens for a Jew. They project their preconceived ideas of what a Jew is like on to him until he comes to accept them. Only after he has suffered a cruel death (the manner of which is not yet defined) are his real parents found, and it turns out that he was not a Jew at all. But the people of Andorra, whenever they look in a mirror, discover to their horror that each of them bears the features of Judas.

This, then, is the original fable. There are as yet no secondary characters, no incidents, no dramatic development. Nor is there any mention of a neighbouring country.

In a prefatory note to the play, the author states explicitly that 'Andorra', the scene of the action, has nothing to do with the actual country of that name. 'Andorra ist der Name für ein Modell.' Similarly, in his comments on the production, he emphasizes that the costumes must not be 'folkloristisch'; nor should the uniforms of the 'Blacks' remind us of any uniform of the past (in other words, the Nazi uniform). Andorra stands for any country; what happens there could happen anywhere. It is this ubiquity which gives the plot universal significance and makes it a true parable of human behaviour.

The fable evidently reflects events of the recent past – the persecution of the Jews by the Nazis. The 'Blacks' bear the authentic features of Nazi conquerors at the peak of their power, and their invasion of 'Andorra' recalls the brutal assault by Hitler's Germany on such small countries as Austria or Czechoslovakia. However, what Frisch is concerned with is not the final catastrophe but the gradual demoralization of the people of Andorra, leading to their unresisting surrender to the invaders, and their silent acquiescence in the brutal murder of a fellow citizen. No actual atrocity is shown; but the scream Andri utters before he is taken away strikes deeper than any visible cruelty could do. Similarly, the stake, the symbol of his martyrdom, remains invisible throughout the play: it is only imagined by one of the characters and, by this very fact, becomes all the more a genuine symbol.

The theme of the play is the fallacy of anti-Semitism; but its significance is much wider. At a deeper level, it touches upon an idea which is very close to the author's heart. This idea is expressed in the second commandment: 'Thou shalt not make unto thee any graven image.' Frisch has emphasized at various times that this commandment should be applied not only to God but to what is god-like in each of our fellow men, that is, his individual soul. By seeing him according to some preconceived idea we make 'a graven image'. Anti-Semitism is merely the most striking instance in modern times of this general human failing. Frisch points to this concept at the end of his original parable:

> 'Du sollst dir kein Bildnis machen, heißt es, von Gott. Es dürfte auch in diesem Sinne gelten: Gott als das Lebendige in jedem Menschen, das, was nicht erfaßbar ist. Es ist eine Versündigung, die wir, so oft sie an uns begangen wird, fast ohne Unterlaß wieder begehen –
> Ausgenommen wenn wir lieben.'

In the play itself, the Priest voices the same idea in his contrite prayer:

> 'Du sollst dir kein Bildnis machen von Gott, deinem Herrn, und nicht von den Menschen, die seine Geschöpfe sind. Auch ich bin schuldig geworden damals . . . Auch ich habe mir ein Bildnis gemacht von ihm . . .'

The only way of breaking down the graven image, that is, of overcoming our prejudice, is through love. 'Ausgenommen wenn wir lieben'. In the context of the play, the only person capable of doing so is Barblin, the girl in love with Andri. But when she tries to help him it is already too late, and the action runs its inexorable course.

THE CHARACTERS

All the characters of the play save two are designated only by their social functions: Der Lehrer, der Pater, der Soldat, der Wirt, or simply, Die Senora and Der Jemand. They are not individuals but types. In other words, they are not drawn as 'whole' characters in their own right but only with such characteristics as are relevant to the main theme. This device links the play with the medieval moralities, on the one hand, and with the expressionist drama of the 1920s, on the other. Each of the characters appears only as a typical representative of his profession or social status. The two exceptions are Andri and Barblin – the only characters who show psychological differentiation and undergo development in the course of the action.

Andri, the central character, is in fact an illegitimate son of the Teacher, who passes him off as a Jew whom he has saved as a child from the neighbouring 'Blacks'. At the beginning, Andri is an average youth, cheerful and carefree. He works as a kitchen-boy at the local inn, putting his tips in the juke-box, and keen to join the local football team. He is in love with Barblin, with whom he has grown up, and whom he hopes to marry (not knowing she is his half-sister). The first to insult him for being supposedly a Jew is the Soldier, who is jealous of him. When he is taken on as a carpenter's apprentice Andri proves himself efficient and performs his work better than the journeyman. However, he is thwarted by the carpenter, who plays a dirty trick on him and forces him to do clerical work, a job more appropriate to a 'Jew'. Under these constant pin-pricks, Andri's frank and trusting nature gradually changes: he grows suspicious and touchy, conscious of being 'different'. When his father refuses to let him marry Barblin he is convinced that it is because he is a Jew. Even the priest, in his well-meaning talk with Andri, only makes matters worse by appealing to his superior intelligence as a Jew. Step by step, Andri adopts the very qualities attributed to him. In the terms of Frisch: he grows into the 'graven image' the others have made of him. When, eventually, he learns the truth about his origin, he is no longer able to take it in: he has accepted his rôle of being 'different'. As he says to the priest: 'Ich fühle nicht wie sie. Und ich habe keine Heimat. Hochwürden haben gesagt, man muß das annehmen, und ich hab's angenommen.' In the end, he completely identifies himself with the Jewish people and is prepared to share their tragic destiny: 'Ich bin nicht der erste, der verloren ist . . . Ich weiß, wer meine Vorfahren sind. Tausende und Hunderttausende sind gestorben am Pfahl, ihr Schicksal ist mein Schicksal.' In the terrible scene of the Jew Inspection, he remains quite passive, fighting only for the ring his mother has given him. The last we hear of him is his cry, and the last we see the shoes he has left behind – a shattering symbol of man's inhumanity to man.

Barblin is a less clearly defined character. But she, too, develops in the course of the play, which opens and closes with her symbolic whitewashing. At the beginning, she is in love with Andri and scornfully rejects the coarse advances of the Soldier. When her father (for reasons she cannot understand) objects to her marriage with Andri, she threatens to 'go to the soldiers'. Nevertheless, she clearly offers resistance when the Soldier breaks into her room. After her true relationship to Andri has been revealed, her love for him changes at once to sisterly affection. She tries to hide him in her room to save him from his persecutors. During the Jew Inspection, she is the only one who dares to defy the new masters, inciting the others to disobey, but she is dragged away by the soldiers and has her hair shorn as a 'Judenhure'. In the end, we see her once more whitewashing, her mind deranged by what she has gone through. It is Barblin who has the last words of the play, as she watches pathetically over Andri's shoes: 'Rührt sie nicht an! Wenn er wiederkommt, das hier sind seine Schuh.' She, too, is in a sense a victim of mass prejudice.

Of the nameless characters, only the *Lehrer* has a sharply defined personality, as he plays a crucial part in the tragic entanglement. It is he who, by concealing Andri's true origin, sets the whole action in motion. His main failing is cowardice: he passes Andri off as a Jewish boy whom he has saved from the 'Blacks', for fear of acknowledging him as his illegitimate child. This act of cowardice stands in blatant contrast to his innate love of truth: as a young teacher, he had made his pupils mark in red what was 'not true' in their schoolbooks. Yet his whole life is built on a lie. It is his reluctance to reveal the truth about Andri that has undermined his character and driven him to drink: 'Einmal werd ich die Wahrheit sagen – das meint man, aber die Lüge ist ein Egel, sie hat die Wahrheit ausgesaugt.' Only when the Senora upbraids him with his cowardice is he prepared to let Andri know the truth; but even then he asks the priest to do so in his stead. During the Jew Inspection, he makes a futile attempt at resistance, but then he too takes the humiliating black cloth. Nevertheless, he is the only one to pay with his life for his guilt: he atones by hanging himself.

All the other characters are, as indicated before, merely types. The *Soldat* is a coarse and vulgar lout – the first to call Andri a 'Jew' out of plain sexual jealousy. His speech is full of clichés. While at first he swears to fight 'bis zum letzten Mann' for Andorra, he submits without a moment's hesitation to the new masters and carries out their orders. It is he who organizes the Jew Inspection and actively assists in the unmasking of Andri. But his conscience is clean. When he steps into the witness-box he appeals to his duty as a soldier: 'Ich habe nur meinen Dienst getan. Order ist Order . . . ich war Soldat.'

The *Doktor* is the typical narrow-minded nationalist, who holds 'the Jews' responsible for his lack of success in his professional career. He boasts of his travels abroad and pretends that he has returned home only out of love for his country. But it is clear from his account that he has proved a failure and now blames the Jews for having thwarted his career: 'Sie hocken auf allen Lehrstühlen der Welt.' Frisch's irony shows in a neat little touch: when the doctor examines Andri's throat he makes him pronounce the name of his country: 'A-a-a-andorra!' His wordy apology in the witness-box has the authentic ring of many 'educated' Nazi followers after the fall of the Third Reich.

The *Pater*, too, has his share in the collective guilt. He is far from joining in the general animosity against Andri, and goes out of his way to be 'kind' to him. Yet he, too, insists that Andri is 'different', though more intelligent, more sensitive, than the rest. He, too, has made himself a 'graven image' of what a Jew is like. It is he who eventually reveals the truth to Andri, but he is not prepared to stand up for it in public. During the Jew Inspection, which leads to Andri's murder, he contents himself with praying for him: with bitter irony, the church bell tolls throughout the scene. However, the priest is at least conscious of his guilt: instead of protesting his innocence, he kneels in a prayer of contrition: 'Auch ich bin schuldig geworden damals . . . Auch ich habe mir ein Bildnis gemacht von ihm, auch ich habe ihn gefesselt, auch ich habe ihn an den Pfahl gebracht.'

Little need be said about the *Tischler* and the *Wirt*. Each of them has his share in the general prejudice which leads to Andri's murder – the carpenter by deliberately reproaching him for bad work he has never done, the innkeeper for throwing the stone that kills the Senora, and putting the blame on Andri. Each of them pleads his innocence when standing in the witness-box.

The *Jemand* is the least clearly defined character. He is not directly involved in the action but remains throughout a passive onlooker. No doubt he personifies the colourless masses who refrain from taking sides. In his speech in the witness-box, he declares that he was not present at the crucial moment and does not know what the soldiers did with Andri: 'Wir hörten nur seinen Schrei.' He finishes with the callous words: 'Einmal muß man auch vergessen können, finde ich.' His guilt is as blatant as that of the others.

Even the *Senora*, who turns out to be Andri's mother, remains undefined as an individual. When she meets Andri, she is prompted by some instinct to tend his injuries and take him home. Even her meeting with the Teacher, her former lover, is without any emotional overtones. Her sole function in the play is to reveal Andri's origin. Moreover, her appearance in Andorra brings out the growing tension, and her death at the hand of an Andorran provides the pretext for the invasion of the 'Blacks'. Throughout her visit, Andri is unaware that she is his mother. Only after she has left, and her identity is disclosed to him, he clings pathetically to her ring.

The part of the Senora has been criticized as a somewhat tenuous link in the action. This would be justified if the private story of Andri and his parentage were of primary importance in the play. However, this is not the case. As is evident from its first conception, the plot concerning Andri's origin was merely an afterthought: in the prose sketch *Der andorranische Jude* he is described simply as a 'foundling'. All that mattered to Frisch was to invent a dramatic situation in which an individual is taken for a Jew without being one. Every character and every incident are subservient to this central idea.

THE STRUCTURE

Andorra is in twelve 'pictures', succeeding one another without any division into acts. This loose structure reflects the origin of the play in a parable, that is, a prose narrative. It also shows a close affinity to Brecht's concept of epic theatre, in which each scene forms a dramatic unit on its own. However, the successive scenes have a cumulative effect; there is no proliferation of incidental episodes, no sub-plot: every part bears on the main theme. From the very beginning, the tension is sustained by such ominous hints as 'Wenn nur kein Platzregen kommt über Nacht!' or, 'Es hängt etwas in der Luft'. Every now and then, mention is made of the 'Blacks' across the border, who threaten the country with invasion. The unity of the whole work is further strengthened by the identity of beginning and end: the play opens and closes with Barblin whitewashing. But there is a difference: at the beginning, she whitewashes her father's house, the source of the whole tragic fallacy; at the end, the pavement of the public square. The symbolism is underlined in the words of the Soldier: 'auf daß wir ein weißes Andorra haben . . . ein schneeweißes Andorra!' The full significance of her action emerges only at the end, when the people of Andorra have become guilty, and Barblin utters her demented 'Ich weißle, ich weißle'. The colour symbolism is carried further: in contrast to 'white' Andorra, the neighbouring people are known as the 'Blacks'; their uniforms, their tanks are black, as are the flags displayed by the Andorrans in token of their surrender.

The main conflict of the play is not between two or

more characters but between the principal character, Andri, and all the others—that is, between an individual and the community. In this conflict, the individual falls a victim to the concerted hostility of his fellow men. In contrast to classical drama, it is not the individual who becomes guilty, but society. In other words, each of us bears his share of guilt for Andri's death. This direct involvement of the audience is emphasized by the short speeches separating the scenes, in which each character in turn protests his innocence to an imaginary court. This device is a perfect example of the 'alienation effect'. Each character, as he steps into the witness-box, interrupts the action; he steps as it were into the future and makes the spectator see the happenings 'as a whole'. The end is anticipated before it is enacted. Thus two levels of time constantly intermingle: the present time of the stage action, and the future in which we see the action as an accomplished fact. In this way, we are forced to pass judgement on the relative guilt of every character.

But we are not merely impartial judges. In one of his notes to the play, Frisch stresses that the characters should by no means be played as caricatures, but in such a way that the spectator should be made to sympathize with them: 'und daß er sich immer etwas zu spät von ihnen distanziert, wie in Wirklichkeit.' In other words, we are forced to identify ourselves with the characters and their actions; we are not their judges but are ourselves the accused.

SELECT BIBLIOGRAPHY

MAX FRISCH *Stücke*. 2 vols. (containing all the plays up to and including *Andorra*), 1962

Biografie: ein Spiel, 1967

Tagebuch 1946–1949 (1950)

(All published by Suhrkamp, Frankfurt/M)

BOOKS ON MAX FRISCH

EDUARD STÄUBLE *Max Frisch: Ein Schweizer Dichter der Gegenwart*. Amriswil, 1957

HANS BÄNZIGER *Frisch und Dürrenmatt*. Berne and Munich, 1960

WILHELM ZISKOVEN *Max Frisch*. In: *Zur Interpretation des modernen Dramas*. Edited by Rolf Geißler. Frankfurt a.M., 1959

HELLMUTH KARASEK *Max Frisch*. In: *Friedrichs Dramatiker der Weltliteratur*. Velber b. Hanover, 1966

ULRICH WEISSTEIN *Max Frisch*. In: *Twayne's World Authors Series*. New York, 1967

MANFRED JURGEMANN *Max Frisch: Die Dramen*. Berne, 1968

DER ANDORRANISCHE JUDE

In Andorra lebte ein junger Mann, den man für einen Juden hielt. Zu erzählen wäre die vermeintliche Geschichte seiner Herkunft, sein täglicher Umgang mit den Andorranern, die in ihm den Juden sehen: das fertige Bildnis, das ihn überall erwartet. Beispielsweise ihr Mißtrauen gegenüber seinem Gemüt, das ein Jude, wie auch die Andorraner wissen, nicht haben kann. Er wird auf die Schärfe seines Intellektes verwiesen, der sich eben dadurch schärft, notgedrungen. Oder sein Verhältnis zum Geld, das in Andorra auch eine große Rolle spielt: er wußte, er spürte, was alle wortlos dachten; er prüfte sich, ob es wirklich so war, daß er stets an das Geld denke, er prüfte sich, bis er entdeckte, daß es stimmte, es war so, in der Tat, er dachte stets an das Geld. Er gestand es; er stand dazu, und die Andorraner blickten sich an, wortlos, fast ohne ein Zucken der Mundwinkel. Auch in Dingen des Vaterlandes wußte er genau, was sie dachten; sooft er das Wort in den Mund genommen, ließen sie es liegen wie eine Münze, die in den Schmutz gefallen ist. Denn der Jude, auch das wußten die Andorraner, hat Vaterländer, die er wählt, die er kauft, aber nicht ein Vaterland wie wir, nicht ein zugeborenes, und wie wohl er es meinte, wenn es um andorranische Belange ging, er redete in ein Schweigen hinein, wie in Watte. Später begriff er, daß es ihm offenbar an Takt fehlte, ja, man sagte es ihm einmal rundheraus, als er, verzagt über ihr Verhalten, geradezu leidenschaftlich wurde. Das Vaterland gehörte den andern, ein für allemal, und daß er es lieben könnte, wurde von ihm nicht erwartet, im Gegenteil, seine beharrlichen Versuche und Werbungen öffneten nur eine Kluft des Verdachtes; er buhlte um eine

Gunst, um einen Vorteil, um eine Anbiederung, die man als Mittel zum Zweck empfand auch dann, wenn man selber keinen möglichen Zweck erkannte. So wiederum ging es, bis er eines Tages entdeckte, mit seinem rastlosen und alles zergliedernden Scharfsinn entdeckte, daß er das Vaterland wirklich nicht liebte, schon das bloße Wort nicht, das jedesmal, wenn er es brauchte, ins Peinliche führte. Offenbar hatten sie recht. Offenbar konnte er überhaupt nicht lieben, nicht im andorranischen Sinn; er hatte die Hitze der Leidenschaft, gewiß, dazu die Kälte seines Verstandes, und diesen empfand man als eine immer bereite Geheimwaffe seiner Rachsucht; es fehlte ihm das Gemüt, das Verbindende; es fehlte ihm, und das war unverkennbar, die Wärme des Vertrauens. Der Umgang mit ihm war anregend, ja, aber nicht angenehm, nicht gemütlich. Es gelang ihm nicht, zu sein wie alle andern, und nachdem er es umsonst versucht hatte, nicht aufzufallen, trug er sein Anderssein sogar mit einer Art von Trotz, von Stolz und lauernder Feindschaft dahinter, die er, da sie ihm selber nicht gemütlich war, hinwiederum mit einer geschäftigen Höflichkeit überzuckerte; noch wenn er sich verbeugte, war es eine Art von Vorwurf, als wäre die Umwelt daran schuld, daß er ein Jude ist – Die meisten Andorraner taten ihm nichts.

Also auch nichts Gutes.

Auf der andern Seite gab es auch Andorraner eines freieren und fortschrittlichen Geistes, wie sie es nannten, eines Geistes, der sich der Menschlichkeit verpflichtet fühlte: sie achteten den Juden, wie sie betonten, gerade um seiner jüdischen Eigenschaften willen, Schärfe des Verstandes und so weiter. Sie standen zu ihm bis zu seinem Tode, der grausam gewesen ist, so grausam und ekelhaft, daß sich auch jene Andorraner entsetzten, die es nicht berührt hatte, daß schon das ganze Leben grausam war. Das heißt, sie beklagten ihn eigentlich nicht, oder ganz offen gesprochen: sie vermißten ihn nicht – sie empörten sich nur über jene, die ihn getötet hatten, und über die Art, wie das geschehen war, vor allem die Art.

Man redete lange davon.

Bis es sich eines Tages zeigt, was er selber nicht hat wissen können, der Verstorbene: daß er ein Findelkind gewesen, dessen Eltern man später entdeckt hat, ein Andorraner wie unsereiner –

Man redete nicht mehr davon.

Die Andorraner aber, sooft sie in den Spiegel blickten, sahen mit Entsetzen, daß sie selber die Züge des Judas tragen, jeder von ihnen.

Du sollst dir kein Bildnis machen, heißt es, von Gott. Es dürfte auch in diesem Sinne gelten: Gott als das Lebendige in jedem Menschen, das, was nicht erfaßbar ist. Es ist eine Versündigung, die wir, so wie sie an uns begangen wird, fast ohne Unterlaß wieder begehen –

Ausgenommen wenn wir lieben.

[From *Tagebuch 1946–1949*, Suhrkamp Verlag, Frankfurt am Main, 1950]

ANDORRA

PERSONEN *Andri*
Barblin
Der Lehrer
Die Mutter
Die Senora
Der Pater
Der Soldat
Der Wirt
Der Tischler
Der Doktor
Der Geselle
Der Jemand

STUMM *Ein Idiot*
Die Soldaten in schwarzer Uniform
Der Judenschauer
Das andorranische Volk

Das Andorra dieses Stücks hat nichts zu tun mit dem wirklichen Kleinstaat dieses Namens, gemeint ist auch nicht ein andrer wirklicher Kleinstaat; Andorra ist der Name für ein Modell.

M. F.

ERSTES BILD

Vor einem andorranischen Haus. Barblin weißelt die schmale und hohe Mauer mit einem Pinsel an langem Stecken. Ein andorranischer Soldat, olivgrau, lehnt an der Mauer.

BARBLIN Wenn du nicht die ganze Zeit auf meine Waden gaffst, dann kannst du ja sehn, was ich mache. Ich weißle. Weil morgen Sanktgeorgstag ist, falls du das vergessen hast. Ich weißle das Haus meines Vaters. Und was macht ihr Soldaten? Ihr lungert in allen Gassen herum, eure Daumen im Gurt, und schielt uns in die Bluse, wenn eine sich bückt.
Der Soldat lacht.
Ich bin verlobt.

SOLDAT Verlobt!

BARBLIN Lach nicht immer wie ein Michelin-Männchen.*

SOLDAT Hat er eine Hühnerbrust?

BARBLIN Wieso?

SOLDAT Daß du ihn nicht zeigen kannst.

BARBLIN Laß mich in Ruh!

SOLDAT Oder Plattfüße?

BARBLIN Wieso soll er Plattfüße haben?

SOLDAT Jedenfalls tanzt er nicht mit dir.
Barblin weißelt.
Vielleicht ein Engel! *Der Soldat lacht.*
Daß ich ihn noch nie gesehen hab.

BARBLIN Ich bin verlobt!

SOLDAT Von Ringlein seh ich aber nichts.

BARBLIN Ich bin verlobt,
Barblin taucht den Pinsel in den Eimer
und überhaupt – dich mag ich nicht.

Im Vordergrund, rechts, steht ein Orchestrion. Hier erscheinen – während Barblin weißelt – der Tischler, ein behäbiger Mann, und hinter ihm Andri als Küchenjunge.

TISCHLER Wo ist mein Stock?

ANDRI Hier, Herr Tischlermeister.

TISCHLER Eine Plage, immer diese Trinkgelder, kaum hat man den Beutel eingesteckt –
Andri gibt den Stock und bekommt ein Trinkgeld, das er ins Orchestrion wirft, sodaß Musik ertönt, während der Tischler vorn über die Szene spaziert, wo Barblin, da der Tischler nicht auszuweichen gedenkt, ihren Eimer wegnehmen muß. Andri trocknet einen Teller, indem er sich zur Musik bewegt, und verschwindet dann, die Musik mit ihm.

BARBLIN Jetzt stehst du noch immer da?

SOLDAT Ich hab Urlaub.

BARBLIN Was willst du noch wissen?

SOLDAT Wer dein Bräutigam sein soll.
Barblin weißelt.
Alle weißeln das Haus ihrer Väter, weil morgen Sanktgeorgstag ist, und der Kohlensack rennt in allen Gassen herum, weil morgen Sanktgeorgstag ist: Weißelt, ihr Jungfraun, weißelt das Haus eurer Väter, auf daß wir ein weißes Andorra haben, ihr Jungfraun, ein schneeweißes Andorra!

BARBLIN Der Kohlensack – wer ist denn das wieder?

SOLDAT Bist du eine Jungfrau?

Der Soldat lacht.

Also du magst mich nicht.

BARBLIN Nein.

SOLDAT Das hat schon manch eine gesagt, aber bekommen hab ich sie doch, wenn mir ihre Waden gefallen und ihr Haar.

Barblin streckt ihm die Zunge heraus.

Und ihre rote Zunge dazu!

Der Soldat nimmt sich eine Zigarette und blickt am Haus hinauf.

Wo hast du deine Kammer?

Auftritt ein Pater, der ein Fahrrad schiebt.

PATER So gefällt es mir, Barblin, so gefällt es mir aber. Wir werden ein weißes Andorra haben, ihr Jungfraun, ein schneeweißes Andorra, wenn bloß kein Platzregen kommt über Nacht.

Der Soldat lacht.

Ist Vater nicht zu Haus?

SOLDAT Wenn bloß kein Platzregen kommt über Nacht! Nämlich seine Kirche ist nicht so weiß, wie sie tut, das hat sich herausgestellt, nämlich seine Kirche ist auch nur aus Erde gemacht, und die Erde ist rot, und wenn ein Platzregen kommt, das saut euch jedesmal die Tünche herab, als hätte man eine Sau drauf geschlachtet, eure schneeweiße Tünche von eurer schneeweißen Kirche.

Der Soldat streckt die Hand nach Regen aus.

Wenn bloß kein Platzregen kommt über Nacht!

Der Soldat lacht und verzieht sich.

PATER Was hat der hier zu suchen?

BARBLIN Ist's wahr, Hochwürden, was die Leut sagen? Sie werden uns überfallen, die Schwarzen da drüben, weil sie neidisch sind auf unsre weißen Häuser. Eines Morgens, früh um vier, werden sie kommen mit tausend schwarzen Panzern, die kreuz und quer durch unsre Äcker rollen, und mit Fallschirmen wie graue Heuschrecken vom Himmel herab.

PATER Wer sagt das?

BARBLIN Peider, der Soldat.

Barblin taucht den Pinsel in den Eimer.

Vater ist nicht zu Haus.

PATER Ich hätt es mir denken können.

Pause

Warum trinkt er soviel in letzter Zeit? Und dann beschimpft er alle Welt. Er vergißt, wer er ist. Warum redet er immer solches Zeug?

BARBLIN Ich weiß nicht, was Vater in der Pinte redet.

PATER Er sieht Gespenster. Haben sich hierzuland nicht alle entrüstet über die Schwarzen da drüben, als sie es trieben wie beim Kindermord zu Bethlehem,* und Kleider gesammelt für die Flüchtlinge damals? Er sagt, wir sind nicht besser als die Schwarzen da drüben. Warum sagt er das die ganze Zeit? Die Leute nehmen es ihm übel, das wundert mich nicht. Ein Lehrer sollte nicht so reden. Und warum glaubt er jedes Gerücht, das in die Pinte kommt?

Pause

Kein Mensch verfolgt euren Andri –

Barblin hält inne und horcht.

– noch hat man eurem Andri kein Haar gekrümmt.

Barblin weißelt weiter.

Ich sehe, du nimmst es genau, du bist kein Kind mehr, du arbeitest wie ein erwachsenes Mädchen.

Barblin Ich bin ja neunzehn.

Pater Und noch nicht verlobt?

Barblin schweigt.

Ich hoffe, dieser Peider hat kein Glück bei dir.

Barblin Nein.

Pater Der hat schmutzige Augen.

Pause

Hat er dir Angst gemacht? Um wichtig zu tun. Warum sollen sie uns überfallen? Unsre Täler sind eng, unsre Äcker sind steinig und steil, unsre Oliven werden auch nicht saftiger als anderswo. Was sollen die wollen von uns? Wer unsern Roggen will, der muß ihn mit der Sichel holen und muß sich bücken Schritt vor Schritt. Andorra ist ein schönes Land, aber ein armes Land. Ein friedliches Land, ein schwaches Land – ein frommes Land, so wir Gott fürchten, und das tun wir, mein Kind, nicht wahr?

Barblin weißelt.

Nicht wahr?

Barblin Und wenn sie trotzdem kommen?

Eine Vesperglocke, kurz und monoton

Pater Wir sehn uns morgen, Barblin, sag deinem Vater, Sankt Georg möchte ihn nicht betrunken sehn.

Der Pater steigt auf sein Rad.

Oder sag lieber nichts, sonst tobt er nur, aber hab acht auf ihn.

Der Pater fährt lautlos davon.

Barblin Und wenn sie trotzdem kommen, Hochwürden?

Im Vordergrund rechts, beim Orchestrion, erscheint der Jemand, hinter ihm Andri als Küchenjunge.

Jemand Wo ist mein Hut?

ANDRI Hier, mein Herr.

JEMAND Ein schwüler Abend, ich glaub, es hängt ein Gewitter in der Luft . . .

Andri gibt den Hut und bekommt ein Trinkgeld, das er ins Orchestrion wirft, aber er drückt noch nicht auf den Knopf, sondern pfeift nur und sucht auf dem Plattenwähler, während der Jemand vorn über die Szene geht, wo er stehenbleibt vor Barblin, die weißelt und nicht bemerkt hat, daß der Pater weggefahren ist.

BARBLIN Ist's wahr, Hochwürden, was die Leut sagen? Sie sagen: Wenn einmal die Schwarzen kommen, dann wird jeder, der Jud ist, auf der Stelle geholt. Man bindet ihn an einen Pfahl, sagen sie, man schießt ihn ins Genick. Ist das wahr oder ist das ein Gerücht? Und wenn er eine Braut hat, die wird geschoren, sagen sie, wie ein räudiger Hund.

JEMAND Was hältst denn du für Reden?

BARBLIN *wendet sich und erschrickt.*

JEMAND Guten Abend.

BARBLIN Guten Abend.

JEMAND Ein schöner Abend heut.

BARBLIN *nimmt den Eimer.*

JEMAND Aber schwül.

BARBLIN Ja.

JEMAND Es hängt etwas in der Luft.

BARBLIN Was meinen Sie damit?

JEMAND Ein Gewitter. Wie alles wartet auf Wind, das Laub und die Stores und der Staub. Dabei seh ich keine Wolke am Himmel, aber man spürt's. So eine heiße Stille. Die Mücken spüren's auch. So eine trockene und faule Stille. Ich glaub, es hängt ein Gewitter in der Luft, ein schweres Gewitter, dem Land tät's gut . . .

Barblin geht ins Haus, der Jemand spaziert weiter, Andri läßt das Orchestrion tönen, die gleiche Platte wie zuvor, und verschwindet, einen Teller trocknend. Man sieht den Platz von Andorra. Der Tischler und der Lehrer sitzen vor der Pinte. Die Musik ist aus.

LEHRER Nämlich es handelt sich um meinen Sohn.

TISCHLER Ich sagte: 50 Pfund.

LEHRER – um meinen Pflegesohn, meine ich.

TISCHLER Ich sagte: 50 Pfund.

Der Tischler klopft mit einer Münze auf den Tisch.

Ich muß gehn.

Der Tischler klopft nochmals.

Wieso will er grad Tischler werden? Tischler werden, das ist nicht einfach, wenn's einer nicht im Blut hat. Und woher soll er's im Blut haben? Ich meine ja bloß. Warum nicht Makler? Zum Beispiel. Warum nicht geht er zur Börse? Ich meine ja bloß ...

LEHRER Woher kommt dieser Pfahl?

TISCHLER Ich weiß nicht, was Sie meinen.

LEHRER Dort!

TISCHLER Sie sind ja bleich.

LEHRER Ich spreche von einem Pfahl!

TISCHLER Ich seh keinen Pfahl.

LEHRER Hier!

Der Tischler muß sich umdrehen.

Ist das ein Pfahl oder ist das kein Pfahl?

TISCHLER Warum soll das kein Pfahl sein?

LEHRER Der war gestern noch nicht.

Der Tischler lacht.

's ist nicht zum Lachen, Prader, Sie wissen genau, was ich meine.

TISCHLER Sie sehen Gespenster.

LEHRER Wozu ist dieser Pfahl?

TISCHLER *klopft mit der Münze auf den Tisch.*

LEHRER Ich bin nicht betrunken. Ich sehe, was da ist, und ich sage, was ich sehe, und ihr alle seht es auch –

TISCHLER Ich muß gehn.

Der Tischler wirft eine Münze auf den Tisch und erhebt sich.

Ich habe gesagt: 50 Pfund.

LEHRER Das bleibt Ihr letztes Wort?

TISCHLER Ich heiße Prader.

LEHRER 50 Pfund?

TISCHLER Ich feilsche nicht.

LEHRER Sie sind ein feiner Mann, ich weiß ... Prader, das ist Wucher, 50 Pfund für eine Tischlerlehre, das ist Wucher. Das ist ein Witz, Prader, das wissen Sie ganz genau. Ich bin Lehrer, ich habe mein schlichtes Gehalt, ich habe kein Vermögen wie ein Tischlermeister – ich habe keine 50 Pfund, ganz rundheraus, ich hab sie nicht!

TISCHLER Dann eben nicht.

LEHRER Prader –

TISCHLER Ich sagte: 50 Pfund.

Der Tischler geht.

LEHRER Sie werden sich wundern, wenn ich die Wahrheit sage. Ich werde dieses Volk vor seinen Spiegel zwingen, sein Lachen wird ihm gefrieren.

Auftritt der Wirt.

WIRT Was habt Ihr gehabt?

LEHRER Ich brauch einen Korn.

WIRT Ärger?

LEHRER 50 Pfund für eine Lehre!

WIRT Ich hab's gehört.

LEHRER – ich werde sie beschaffen.

Der Lehrer lacht.

Wenn's einer nicht im Blut hat!

Der Wirt wischt mit einem Lappen über die Tischlein.

Sie werden ihr eignes Blut noch kennenlernen.

WIRT Man soll sich nicht ärgern über die eignen Landsleute, das geht auf die Nieren*und ändert die Landsleute gar nicht. Natürlich ist's Wucher! Die Andorraner sind gemütliche Leut, aber wenn es ums Geld geht, das hab ich immer gesagt, dann sind sie wie der Jud.

Der Wirt will gehen.

LEHRER Woher wißt ihr alle, wie der Jud ist?

WIRT Can –

LEHRER Woher eigentlich?

WIRT – ich habe nichts gegen deinen Andri. Wofür hältst du mich? Sonst hätt ich ihn wohl nicht als Küchenjunge genommen. Warum siehst du mich so schief an? Ich habe Zeugen. Hab ich nicht bei jeder Gelegenheit gesagt, Andri ist eine Ausnahme?

LEHRER Reden wir nicht davon!

WIRT Eine regelrechte Ausnahme –

Glockenbimmeln

LEHRER Wer hat diesen Pfahl hier aufgestellt?

WIRT Wo?

LEHRER Ich bin nicht immer betrunken, wie Hochwürden meinen. Ein Pfahl ist ein Pfahl. Jemand hat ihn aufgestellt. Von gestern auf heut. Das wächst nicht aus dem Boden.

WIRT Ich weiß es nicht.

LEHRER Zu welchem Zweck?

WIRT Vielleicht das Bauamt, ich weiß nicht, das Straßenamt, irgendwo müssen die Steuern ja hin, vielleicht wird gebaut, eine Umleitung vielleicht, das weiß man nie, vielleicht die Kanalisation –

LEHRER Vielleicht.

WIRT Oder das Telefon –

LEHRER Vielleicht auch nicht.

WIRT Ich weiß nicht, was du hast.

LEHRER Und wozu der Strick dabei?

WIRT Weiß ich's.

LEHRER Ich sehe keine Gespenster, ich bin nicht verrückt, ich seh einen Pfahl, der sich eignet für allerlei –

WIRT Was ist dabei!

Der Wirt geht in die Pinte. Der Lehrer allein. Wieder Glockenbimmeln. Der Pater im Meßgewand geht mit raschen Schritten über den Platz, gefolgt von Meßknaben, deren Weihrauchgefäße einen starken Duft hinterlassen. Der Wirt kommt mit dem Schnaps.

WIRT 50 Pfund will er?

LEHRER – ich werde sie beschaffen.

WIRT Aber wie?

LEHRER Irgendwie.

Der Lehrer kippt den Schnaps.

Land verkaufen.

Der Wirt setzt sich zum Lehrer.

Irgendwie ...

WIRT Wie groß ist dein Land?

LEHRER Wieso?

WIRT Ich kaufe Land jederzeit. Wenn's nicht zu teuer ist! Ich meine: Wenn du Geld brauchst unbedingt.

Lärm in der Pinte

Ich komme!

Der Wirt greift den Lehrer am Arm.

Überleg es dir, Can, in aller Ruh, aber mehr als 50 Pfund kann ich nicht geben –

Der Wirt geht.

LEHRER »Die Andorraner sind gemütliche Leut, aber wenn es ums Geld geht, dann sind sie wie der Jud.«

Der Lehrer kippt nochmals das leere Glas, während Barblin, gekleidet für die Prozession, neben ihn tritt.

BARBLIN Vater?

LEHRER Wieso bist du nicht an der Prozession?

BARBLIN Du hast versprochen, Vater, nichts zu trinken am Sanktgeorgstag –

LEHRER *legt eine Münze auf den Tisch.*

BARBLIN Sie kommen hier vorbei.

LEHRER 50 Pfund für eine Lehre!

Jetzt hört man lauten und hellen Gesang, Glokkengeläute, im Hintergrund zieht die Prozession vorbei, Barblin kniet nieder, der Lehrer bleibt sitzen. Leute sind auf den Platz gekommen, sie knien alle nieder, und man sieht über die Knienden hinweg: Fahnen, die Muttergottes wird vorbeigetragen, begleitet von aufgepflanzten Bajonetten. Alle bekreuzigen sich, der Lehrer erhebt sich und geht in die Pinte. Die Prozession ist langsam und lang und schön; der helle Gesang verliert sich in die Ferne, das Glockengeläute bleibt. Andri tritt aus der Pinte, während die Leute sich der Prozession anschließen, und hält sich abseits; er flüstert:

ANDRI Barblin!

BARBLIN *bekreuzigt sich.*

ANDRI Hörst du mich nicht?

BARBLIN *erhebt sich.*

ANDRI Barblin?!

BARBLIN Was ist?

ANDRI – ich werde Tischler!

Barblin folgt als letzte der Prozession, Andri allein.

ANDRI Die Sonne scheint grün in den Bäumen heut. Heut läuten die Glocken auch für mich.

Er zieht seine Schürze ab.

Später werde ich immer denken, daß ich jetzt gejauchzt habe. Dabei zieh ich bloß meine Schürze ab, ich staune, wie still. Man möchte seinen Namen in die Luft werfen wie eine Mütze, und dabei steh ich nur da und rolle meine Schürze. So ist Glück. Nie werde ich vergessen, wie ich jetzt hier stehe . . .

Krawall in der Pinte

ANDRI Barblin, wir heiraten!

Andri geht.

WIRT Hinaus! Er ist sternhagelvoll, dann schwatzt er immer so. Hinaus! sag ich.

Heraus stolpert der Soldat mit der Trommel.

WIRT Ich geb dir keinen Tropfen mehr.

SOLDAT – ich bin Soldat.

WIRT Das sehen wir.

SOLDAT – und heiße Peider.

WIRT Das wissen wir.

SOLDAT Also.

WIRT Hör auf, Kerl, mit diesem Radau!

SOLDAT Wo ist sie?

WIRT Das hat doch keinen Zweck, Peider. Wenn ein Mädchen nicht will, dann will es nicht. Steck deine Schlegel ein! Du bist blau.* Denk an das Ansehen der Armee!

Der Wirt geht in die Pinte.

SOLDAT Hosenscheißer!* Sie sind's nicht wert, daß ich kämpfe für sie. Nein. Aber ich kämpfe. Das steht fest. Bis zum letzten Mann, das steht fest, lieber tot als Untertan, und drum sage ich: Also – ich bin

Soldat und hab ein Aug auf sie . . .
Auftritt Andri, der seine Jacke anzieht.

SOLDAT Wo ist sie?

ANDRI Wer?

SOLDAT Deine Schwester.

ANDRI Ich habe keine Schwester.

SOLDAT Wo ist die Barblin?

ANDRI Warum?

SOLDAT Ich hab Urlaub und ein Aug auf sie . . .
Andri hat seine Jacke angezogen und will weitergehen, der Soldat stellt ihm das Bein, sodaß Andri stürzt, und lacht.
Ein Soldat ist keine Vogelscheuche. Verstanden? Einfach vorbeilaufen. Ich bin Soldat, das steht fest, und du bist Jud.
Andri erhebt sich wortlos.
Oder bist du vielleicht kein Jud?
Andri schweigt.
Aber du hast Glück, ein sozusagen verfluchtes Glück, nicht jeder Jud hat Glück so wie du, nämlich du kannst dich beliebt machen.
Andri wischt seine Hosen ab.
Ich sage: beliebt machen!

ANDRI Bei wem?

SOLDAT Bei der Armee.

ANDRI Du stinkst ja nach Trester.*

SOLDAT Was sagst du?

ANDRI Nichts.

SOLDAT Ich stinke?

ANDRI Auf sieben Schritt und gegen den Wind.

SOLDAT Paß auf, was du sagst.
Der Soldat versucht den eignen Atem zu riechen.
Ich riech nichts.
Andri lacht.

's ist nicht zum Lachen, wenn einer Jud ist, 's ist nicht zum Lachen, du, nämlich ein Jud muß sich beliebt machen.

ANDRI Warum?

SOLDAT *grölt*

»Wenn einer seine Liebe hat
und einer ist Soldat, Soldat,
das heißt Soldatenleben,
und auf den Bock
und ab den Rock –«
Gaff nicht so wie ein Herr!
»Wenn einer seine Liebe hat
und einer ist Soldat, Soldat.«

ANDRI Kann ich jetzt gehn?

SOLDAT Mein Herr!

ANDRI Ich bin kein Herr.

SOLDAT Dann halt Küchenjunge.

ANDRI Gewesen.

SOLDAT So einer wird ja nicht einmal Soldat.

ANDRI Weißt du, was das ist?

SOLDAT Geld?

ANDRI Mein Lohn. Ich werde Tischler jetzt.

SOLDAT Pfui Teufel!

ANDRI Wieso?

SOLDAT Ich sage: Pfui Teufel!

Der Soldat schlägt ihm das Geld aus der Hand und lacht.

Da!

Andri starrt den Soldaten an.

So'n Jud denkt alleweil nur ans Geld.

Andri beherrscht sich mit Mühe, dann bückt er sich und sammelt die Münzen auf dem Pflaster.

Also du willst dich nicht beliebt machen?

ANDRI Nein.

SOLDAT Das steht fest?*

ANDRI Ja.

SOLDAT Und für deinesgleichen sollen wir kämpfen? Bis zum letzten Mann, weißt du, was das heißt, ein Bataillon gegen zwölf Bataillone, das ist ausgerechnet, lieber tot als Untertan, das steht fest, aber nicht für dich!

ANDRI Was steht fest?

SOLDAT Ein Andorraner ist nicht feig. Sollen sie kommen mit ihren Fallschirmen wie die Heuschrecken vom Himmel herab, da kommen sie nicht durch, so wahr ich Peider heiße, bei mir nicht. Das steht fest. Bei mir nicht. Man wird ein blaues Wunder erleben!*

ANDRI Wer wird ein blaues Wunder erleben?

SOLDAT Bei mir nicht.

Hinzutritt ein Idiot, der nur grinsen und nicken kann.

Habt ihr das wieder gehört? Er meint, wir haben Angst. Weil er selber Angst hat! Wir kämpfen nicht, sagt er, bis zum letzten Mann, wir sterben nicht vonwegen ihrer Übermacht, wir ziehen den Schwanz ein, wir scheißen in die Hosen,* daß es zu den Stiefeln heraufkommt, das wagt er zu sagen: mir ins Gesicht, der Armee ins Gesicht!

ANDRI Ich habe kein Wort gesagt.

SOLDAT Ich frage: Habt ihr's gehört?

IDIOT *nickt und grinst.*

SOLDAT Ein Andorraner hat keine Angst!

ANDRI Das sagtest du schon.

SOLDAT Aber du hast Angst!

ANDRI *schweigt.*

SOLDAT Weil du feig bist.

ANDRI Wieso bin ich feig?

SOLDAT Weil du Jud bist.
IDIOT *grinst und nickt.*
SOLDAT So, und jetzt geh ich . . .
ANDRI Aber nicht zur Barblin!
SOLDAT Wie er rote Ohren hat!
ANDRI Barblin ist meine Braut.
SOLDAT *lacht.*
ANDRI Das ist wahr.
SOLDAT *grölt:*
»Und mit dem Bock
und in den Rock
und ab den Rock
und mit dem Bock
und mit dem Bock –«
ANDRI Geh nur!
SOLDAT Braut! hat er gesagt.
ANDRI Barblin wird dir den Rücken drehn.
SOLDAT Dann nehm ich sie von hinten!
ANDRI – du bist ein Vieh.
SOLDAT Was sagst du?
ANDRI Ein Vieh.
SOLDAT Sag das noch einmal. Wie er zittert! Sag das noch einmal. Aber laut, daß der ganze Platz es hört. Sag das noch einmal.
Andri geht.
SOLDAT Was hat er da gesagt?
IDIOT *grinst und nickt.*
SOLDAT Ein Vieh? Ich bin ein Vieh?
IDIOT *nickt und grinst.*
SOLDAT Der macht sich nicht beliebt bei mir.

VORDERGRUND

Der Wirt, jetzt ohne die Wirteschürze, tritt an die Zeugenschranke.

WIRT Ich gebe zu: Wir haben uns in dieser Geschichte alle getäuscht. Damals. Natürlich hab ich geglaubt, was alle geglaubt haben damals. Er selbst hat's geglaubt. Bis zuletzt. Ein Judenkind, das unser Lehrer gerettet habe vor den Schwarzen da drüben, so hat's immer geheißen, und wir fanden's großartig, daß der Lehrer sich sorgte wie um einen eigenen Sohn. Ich jedenfalls fand das großartig. Hab ich ihn vielleicht an den Pfahl gebracht? Niemand von uns hat wissen können, daß Andri wirklich sein eigner Sohn ist, der Sohn von unsrem Lehrer. Als er mein Küchenjunge war, hab ich ihn schlecht behandelt? Ich bin nicht schuld, daß es dann so gekommen ist. Das ist alles, was ich nach Jahr und Tag dazu sagen kann. Ich bin nicht schuld.

ZWEITES BILD

Andri und Barblin auf der Schwelle vor der Kammer der Barblin.

BARBLIN Andri, schläfst du?
ANDRI Nein.
BARBLIN Warum gibst du mir keinen Kuß?
ANDRI Ich bin wach, Barblin, ich denke.
BARBLIN Die ganze Nacht.
ANDRI Ob's wahr ist, was die andern sagen.
Barblin hat auf seinen Knien gelegen, jetzt richtet sie sich auf, sitzt und löst ihre Haare.
ANDRI Findest du, sie haben recht?
BARBLIN Fang jetzt nicht wieder an!
ANDRI Vielleicht haben sie recht.
Barblin beschäftigt sich mit ihrem Haar.
ANDRI Vielleicht haben sie recht ...
BARBLIN Du hast mich ganz zerzaust.
ANDRI Meinesgleichen, sagen sie, hat kein Gefühl.
BARBLIN Wer sagt das?
ANDRI Manche.
BARBLIN Jetzt schau dir meine Bluse an!
ANDRI Alle.
BARBLIN Soll ich sie ausziehen?
Barblin zieht ihre Bluse aus.
ANDRI Meinesgleichen, sagen sie, ist geil, aber ohne Gemüt, weißt du –

BARBLIN Andri, du denkst zuviel!

Barblin legt sich wieder auf seine Knie.

ANDRI Ich lieb dein Haar, dein rotes Haar, dein leichtes warmes bitteres Haar, Barblin, ich werde sterben, wenn ich es verliere.

Andri küßt ihr Haar.

Und warum schläfst denn du nicht?

BARBLIN *horcht.*

ANDRI Was war das?

BARBLIN Die Katze.

ANDRI *horcht.*

BARBLIN Ich hab sie ja gesehen.

ANDRI War das die Katze?

BARBLIN Sie schlafen doch alle ...

Barblin legt sich wieder auf seine Knie.

Kuß mich!

ANDRI *lacht.*

BARBLIN Worüber lachst du?

ANDRI Ich muß ja dankbar sein!

BARBLIN Ich weiß nicht, wovon du redest.

ANDRI Von deinem Vater. Er hat mich gerettet, er fände es sehr undankbar von mir, wenn ich seine Tochter verführte. Ich lache, aber es ist nicht zum Lachen, wenn man den Menschen immerfort dankbar sein muß, daß man lebt.

Pause

Vielleicht bin ich drum nicht lustig.

BARBLIN *küßt ihn.*

ANDRI Bist du ganz sicher, Barblin, daß du mich willst?

BARBLIN Warum fragst du das immer.

ANDRI Die andern sind lustiger.

BARBLIN Die andern!

ANDRI Vielleicht haben sie recht. Vielleicht bin ich feig, sonst würde ich endlich zu deinem Alten gehn und sagen, daß wir verlobt sind. Findest du mich feig?

Man hört Grölen in der Ferne.

ANDRI Jetzt grölen sie immer noch.

Das Grölen verliert sich.

BARBLIN Ich geh nicht mehr aus dem Haus, damit sie mich in Ruh lassen. Ich denke an dich, Andri, den ganzen Tag, wenn du an der Arbeit bist, und jetzt bist du da, und wir sind allein – ich will, daß du an mich denkst, Andri, nicht an die andern. Hörst du? Nur an mich und an uns. Und ich will, daß du stolz bist, Andri, fröhlich und stolz, weil ich dich liebe vor allen andern.

ANDRI Ich habe Angst, wenn ich stolz bin.

BARBLIN Und jetzt will ich einen Kuß.

Andri gibt ihr einen Kuß.

Viele viele Küsse!

Andri denkt.

Ich denke nicht an die andern, Andri, wenn du mich hältst mit deinen Armen und mich küssest, glaub mir, ich denke nicht an sie.

ANDRI – aber ich.

BARBLIN Du mit deinen andern die ganze Zeit!

ANDRI Sie haben mir wieder das Bein gestellt.

Eine Turmuhr schlägt.

ANDRI Ich weiß nicht, wieso ich anders bin als alle. Sag es mir. Wieso? Ich seh's nicht ...

Eine andere Turmuhr schlägt.

ANDRI Jetzt ist es schon wieder drei.

BARBLIN Laß uns schlafen!

ANDRI Ich langweile dich.

Barblin schweigt.

Soll ich die Kerze löschen? ... du kannst schlafen, ich wecke dich um sieben.

Pause

Das ist kein Aberglaube, o nein, das gibt's, Menschen, die verflucht sind, und man kann machen mit ihnen, was man will, ihr Blick genügt, plötzlich bist du so, wie sie sagen. Das ist das Böse. Alle haben es in sich, keiner will es haben, und wo soll das hin? In die Luft? Es ist in der Luft, aber da bleibt's nicht lang, es muß in einen Menschen hinein, damit sie's eines Tages packen und töten können ...

Andri ergreift die Kerze.

Kennst du einen Soldat namens Peider?

Barblin murrt schläfrig.

Er hat ein Aug auf dich.

BARBLIN Der!

ANDRI – ich dachte, du schläfst schon.

Andri bläst die Kerze aus.

VORDERGRUND

Der Tischler tritt an die Zeugenschranke.

TISCHLER Ich gebe zu: Das mit den 50 Pfund für die Lehre, das war eben, weil ich ihn nicht in meiner Werkstatt wollte, und ich wußte ja, es wird nur Unannehmlichkeiten geben. Wieso wollte er nicht Verkäufer werden? Ich dachte, das würd ihm liegen. Niemand hat wissen können, daß er keiner ist. Ich kann nur sagen, daß ich es im Grund wohlmeinte mit ihm. Ich bin nicht schuld, daß es so gekommen ist später.

DRITTES BILD

Man hört eine Fräse, Tischlerei, Andri und ein Geselle je mit einem fertigen Stuhl.

ANDRI Ich habe auch schon Linksaußen gespielt, wenn kein andrer wollte. Natürlich will ich, wenn eure Mannschaft mich nimmt.

GESELLE Hast du Fußballschuh?

ANDRI Nein.

GESELLE Brauchst du aber.

ANDRI Was kosten die?

GESELLE Ich hab ein altes Paar, ich verkaufe sie dir. Ferner brauchst du natürlich schwarze Shorts und ein gelbes Tschersi,* das ist klar, und gelbe Strümpfe natürlich.

ANDRI Rechts bin ich stärker, aber wenn ihr einen Linksaußen* braucht, also einen Eckball bring ich schon herein.*

Andri reibt die Hände.

Das ist toll, Fedri, wenn das klappt.

GESELLE Warum soll's nicht?

ANDRI Das ist toll.

GESELLE Ich bin Käpten, und du bist mein Freund.

ANDRI Ich werde trainieren.

GESELLE Aber reib nicht immer die Hände, sonst lacht die ganze Tribüne.

Andri steckt die Hände in die Hosentaschen.

Hast du Zigaretten? So gib schon. Mich bellt er nicht an! Sonst erschrickt er nämlich über sein Echo. Oder hast du je gehört, daß der mich anbellt?

Der Geselle steckt sich eine Zigarette an.

ANDRI Das ist toll, Fedri, daß du mein Freund bist.

GESELLE Dein erster Stuhl?

ANDRI Wie findest du ihn?

Der Geselle nimmt den Stuhl von Andri und versucht ein Stuhlbein herauszureißen, Andri lacht.

Die sind nicht zum Ausreißen!

GESELLE So macht er's nämlich.

ANDRI Versuch's nur!

Der Geselle versucht es vergeblich.

Er kommt.

GESELLE Du hast Glück.

ANDRI Jeder rechte Stuhl ist verzapft. Wieso Glück? Nur was geleimt ist, geht aus dem Leim.

Auftritt der Tischler.

TISCHLER ... schreiben Sie diesen Herrschaften, ich heiße Prader. Ein Stuhl von Prader bricht nicht zusammen, das weiß jedes Kind, ein Stuhl von Prader ist ein Stuhl von Prader. Und überhaupt: bezahlt ist bezahlt. Mit einem Wort: Ich feilsche nicht.

Zu den beiden.

Habt ihr Ferien?

Der Geselle verzieht sich flink.

Wer hat hier wieder geraucht?

Andri schweigt.

Ich riech es ja.

Andri schweigt.

Wenn du wenigstens den Schneid hättest –

ANDRI Heut ist Sonnabend.

TISCHLER Was hat das damit zu tun?

ANDRI Wegen meiner Lehrlingsprobe. Sie haben gesagt: Am letzten Sonnabend in diesem Monat. Hier ist mein erster Stuhl.

Der Tischler nimmt einen Stuhl.

Nicht dieser, Meister, der andere!

TISCHLER Tischler werden ist nicht einfach, wenn's einer nicht im Blut hat. Nicht einfach. Woher sollst du's im Blut haben. Das hab ich deinem Vater aber gleich gesagt. Warum gehst du nicht in den Verkauf? Wenn einer nicht aufgewachsen ist mit dem Holz, siehst du, mit unserem Holz – lobpreiset eure Zedern vom Libanon,* aber hierzuland wird in andorranischer Eiche gearbeitet, mein Junge.

ANDRI Das ist Buche.

TISCHLER Meinst du, du mußt mich belehren?

ANDRI Sie wollen mich prüfen, meinte ich.

TISCHLER *versucht ein Stuhlbein auszureißen.*

ANDRI Meister, das ist aber nicht meiner!

TISCHLER Da –

Der Tischler reißt ein erstes Stuhlbein aus.

Was hab ich gesagt?

Der Tischler reißt die andern drei Stuhlbeine aus.

– wie die Froschbeine, wie die Froschbeine. Und so ein Humbug soll in den Verkauf. Ein Stuhl von Prader, weißt du, was das heißt? – da,

Der Tischler wirft ihm die Trümmer vor die Füße.

schau's dir an!

ANDRI Sie irren sich.

TISCHLER Hier – das ist ein Stuhl!

Der Tischler setzt sich auf den andern Stuhl.

Hundert Kilo, Gott sei's geklagt, hundert Kilo hab ich am Leib, aber was ein rechter Stuhl ist, das ächzt nicht, wenn ein rechter Mann sich draufsetzt, und das wackelt nicht. Ächzt das?

ANDRI Nein.

TISCHLER Wackelt das?

ANDRI Nein.

TISCHLER Also!

ANDRI Das ist meiner.

TISCHLER – und wer soll diesen Humbug gemacht haben?

ANDRI Ich hab es Ihnen aber gleich gesagt.

TISCHLER Fedri! Fedri!

Die Fräse verstummt.

TISCHLER Nichts als Ärger hat man mit dir, das ist der Dank, wenn man deinesgleichen in die Bude nimmt, ich hab's ja geahnt.

Auftritt der Geselle.

Fedri, bist du ein Gesell oder was bist du?

GESELLE Ich –

TISCHLER Wie lang arbeitest du bei Prader & Sohn?

GESELLE Fünf Jahre.

TISCHLER Welchen Stuhl hast du gemacht? Schau sie dir an. Diesen oder diesen? Und antworte.

Der Geselle mustert die Trümmer.

Antworte frank und blank.

GESELLE – ich ...

TISCHLER Hast du verzapft oder nicht?

GESELLE – jeder rechte Stuhl ist verzapft ...

TISCHLER Hörst du's?

GESELLE – nur was geleimt ist, geht aus dem Leim ...

TISCHLER Du kannst gehn.

GESELLE *erschrickt.*

TISCHLER In die Werkstatt, meine ich.

Der Geselle geht rasch.

Das laß dir eine Lehre sein. Aber ich hab's ja gewußt, du gehörst nicht in eine Werkstatt.

Der Tischler sitzt und stopft sich eine Pfeife.

Schad ums Holz.

ANDRI *schweigt.*

TISCHLER Nimm das zum Heizen.

ANDRI Nein.

TISCHLER *zündet sich die Pfeife an.*

ANDRI Das ist eine Gemeinheit!

TISCHLER *zündet sich die Pfeife an.*

ANDRI ... ich nehm's nicht zurück, was ich gesagt habe. Sie sitzen auf meinem Stuhl, ich sag es Ihnen, Sie lügen, wie's Ihnen grad paßt, und zünden sich die Pfeife an. Sie, ja, Sie! Ich hab Angst vor euch, ja, ich zittere. Wieso hab ich kein Recht vor euch? Ich bin jung, ich hab gedacht: Ich muß bescheiden sein. Es hat keinen Zweck, Sie machen sich nichts aus Beweisen. Sie sitzen auf meinem Stuhl. Das kümmert Sie aber nicht? Ich kann tun, was ich will, ihr dreht es immer gegen mich, und der Hohn nimmt kein Ende. Ich kann nicht länger schweigen, es zerfrißt mich. Hören Sie denn überhaupt zu? Sie saugen an Ihrer Pfeife herum, und ich sag Ihnen ins Gesicht: Sie lügen. Sie wissen ganz genau, wie gemein Sie sind. Sie sind hundsgemein. Sie sitzen auf dem Stuhl, den ich gemacht habe, und zünden sich Ihre Pfeife an. Was hab ich Ihnen zuleid getan? Sie wollen nicht, daß ich tauge. Warum schmähen Sie mich? Sie sitzen auf meinem Stuhl. Alle schmähen mich und frohlocken und hören nicht auf. Wieso seid ihr stärker als die Wahrheit? Sie wissen genau, was wahr ist, Sie sitzen drauf –

Der Tischler hat endlich die Pfeife angezündet.

Sie haben keine Scham –.

TISCHLER Schnorr nicht soviel.

ANDRI Sie sehen aus wie eine Kröte!

TISCHLER Erstens ist hier keine Klagemauer.*

Der Geselle und zwei andere verraten sich durch Kichern.

TISCHLER Soll ich eure ganze Fußballmannschaft entlassen?

Der Geselle und die andern verschwinden.

Erstens ist hier keine Klagemauer, zweitens habe ich kein Wort davon gesagt, daß ich dich deswegen entlasse. Kein Wort. Ich habe eine andere Arbeit für dich. Zieh deine Schürze aus! Ich zeige dir, wie man Bestellungen schreibt. Hörst du zu, wenn dein Meister spricht? Für jede Bestellung, die du hereinbringst mit deiner Schnorrerei, verdienst du ein halbes Pfund. Sagen wir: ein ganzes Pfund für drei Bestellungen. Ein ganzes Pfund! Das ist's, was deinesgleichen im Blut hat, glaub mir, und jedermann soll tun, was er im Blut hat. Du kannst Geld verdienen, Andri, Geld, viel Geld ...

Andri reglos.

Abgemacht?

Der Tischler erhebt sich und klopft Andri auf die Schulter.

Ich mein's gut mit dir.

Der Tischler geht, man hört die Fräse wieder.

ANDRI Ich wollte aber Tischler werden ...

VORDERGRUND

Der Geselle, jetzt in einer Motorradfahrerjacke, tritt an die Zeugenschranke.

GESELLE Ich geb zu: Es war mein Stuhl und nicht sein Stuhl. Damals. Ich wollte ja nachher mit ihm reden, aber da war er schon so, daß man halt nicht mehr reden konnte mit ihm. Nachher hab ich ihn auch nicht mehr leiden können, geb ich zu. Er hat einem nicht einmal mehr guten Tag gesagt. Ich sag ja nicht, es sei ihm recht geschehen,*aber es lag halt auch an ihm,*sonst wär's nie so gekommen. Als wir ihn nochmals fragten wegen Fußball, da war er sich schon zu gut für uns. Ich bin nicht schuld, daß sie ihn geholt haben später.

VIERTES BILD

Stube beim Lehrer. Andri sitzt und wird vom Doktor untersucht, der ihm einen Löffel in den Hals hält, die Mutter daneben.

ANDRI Aaaandorra.
DOKTOR Aber lauter, mein Freund, viel lauter!
ANDRI Aaaaaaandorra.
DOKTOR Habt Ihr einen längeren Löffel?
Die Mutter geht hinaus.
Wie alt bist du?
ANDRI Zwanzig.
DOKTOR *zündet sich einen Zigarillo an.*
ANDRI Ich bin noch nie krank gewesen.
DOKTOR Du bist ein strammer Bursch, das seh ich, ein braver Bursch, ein gesunder Bursch, das gefällt mir, mens sana in corpore sano, wenn du weißt, was das heißt.
ANDRI Nein.
DOKTOR Was ist dein Beruf?
ANDRI Ich wollte Tischler werden –
DOKTOR Zeig deine Augen!
Der Doktor nimmt eine Lupe aus der Westentasche und prüft die Augen.
Das andre!
ANDRI Was ist das – ein Virus?
DOKTOR Ich habe deinen Vater gekannt vor zwanzig Jah-

ren, habe gar nicht gewußt, daß der einen Sohn hat. Der Eber! So nannten wir ihn. Immer mit dem Kopf durch die Wand! Er hat von sich reden gemacht*damals, ein junger Lehrer, der die Schulbücher zerreißt, er wollte andre haben, und als er dann doch keine andern bekam, da hat er die andorranischen Kinder gelehrt, Seite um Seite mit einem schönen Rotstift anzustreichen, was in den andorranischen Schulbüchern nicht wahr ist. Und sie konnten es ihm nicht widerlegen. Er war ein Kerl. Niemand wußte, was er eigentlich wollte. Ein Teufelskerl. Die Damen waren scharf auf ihn –

Eintritt die Mutter mit dem längeren Löffel.

Euer Sohn gefällt mir.

Die Untersuchung wird fortgesetzt.

Tischler ist ein schöner Beruf, ein andorranischer Beruf, nirgends in der Welt gibt es so gute Tischler wie in Andorra, das ist bekannt.

ANDRI Aaaaaaaaaandorra!

DOKTOR Nochmals.

ANDRI Aaaaaaaaaandorra!

MUTTER Ist es schlimm, Doktor?

DOKTOR Was Doktor! Ich heiße Ferrer.

Der Doktor mißt den Puls.

Professor, genau genommen, aber ich gebe nichts auf Titel,*liebe Frau. Der Andorraner ist nüchtern und schlicht, sagt man, und da ist etwas dran. Der Andorraner macht keine Bücklinge. Ich hätte Titel haben können noch und noch. Andorra ist eine Republik, das hab ich ihnen in der ganzen Welt gesagt: Nehmt Euch ein Beispiel dran! Bei uns gilt ein jeder, was er ist. Warum bin ich zurückgekommen, meinen Sie, nach zwanzig Jahren?

Der Doktor verstummt, um den Puls zählen zu können.

Hm.

MUTTER Ist es schlimm, Professor?

DOKTOR Liebe Frau, wenn einer in der Welt herumgekommen ist wie ich, dann weiß er, was das heißt: Heimat! Hier ist mein Platz, Titel hin oder her,* hier bin ich verwurzelt.

Andri hustet.

Seit wann hustet er?

ANDRI Ihr Zigarillo, Professor, Ihr Zigarillo!

DOKTOR Andorra ist ein kleines Land, aber ein freies Land. Wo gibt's das noch? Kein Vaterland in der Welt hat einen schöneren Namen, und kein Volk auf Erden ist so frei – Mund auf, mein Freund, Mund auf!

Der Doktor schaut nochmals in den Hals, dann nimmt er den Löffel heraus.

Ein bißchen entzündet.

ANDRI Ich?

DOKTOR Kopfweh?

ANDRI Nein.

DOKTOR Schlaflosigkeit?

ANDRI Manchmal.

DOKTOR Aha.

ANDRI Aber nicht deswegen.

Der Doktor steckt ihm nochmals den Löffel in den Hals.

Aaaaaaaa-Aaaaaaaaaaaaaaaandorra.

DOKTOR So ist's gut, mein Freund, so muß es tönen, daß jeder Jud in den Boden versinkt, wenn er den Namen unseres Vaterlands hört.

Andri zuckt.

Verschluck den Löffel nicht!

MUTTER Andri ...

ANDRI *ist aufgestanden.*

DOKTOR Also tragisch ist es nicht, ein bißchen entzündet, ich mache mir keinerlei Sorgen, eine Pille vor jeder Mahlzeit –

ANDRI Wieso – soll der Jud – versinken im Boden?

DOKTOR Wo habe ich sie bloß.

Der Doktor kramt in seinem Köfferchen.

Das fragst du, mein junger Freund, weil du noch nie in der Welt gewesen bist. Ich kenne den Jud. Wo man hinkommt, da hockt er schon, der alles besser weiß, und du, ein schlichter Andorraner, kannst einpacken. So ist es doch. Das Schlimme am Jud ist sein Ehrgeiz. In allen Ländern der Welt hocken sie auf allen Lehrstühlen, ich hab's erfahren, und unsereinem bleibt nichts andres übrig als die Heimat. Dabei habe ich nichts gegen den Jud. Ich bin nicht für Greuel. Auch ich habe Juden gerettet, obschon ich sie nicht riechen kann.* Und was ist der Dank? Sie sind nicht zu ändern. Sie hocken auf allen Lehrstühlen der Welt. Sie sind nicht zu ändern.

Der Doktor reicht die Pillen.

Hier deine Pillen!

Andri nimmt sie nicht, sondern geht.

Was hat er denn plötzlich?

MUTTER Andri! Andri!

DOKTOR Einfach rechtsumkehrt und davon ...

MUTTER Das hätten Sie vorhin nicht sagen sollen, Professor, das mit dem Jud.

DOKTOR Warum denn nicht?

MUTTER Andri ist Jud.

Eintritt der Lehrer, Schulhefte im Arm.

LEHRER Was ist los?

MUTTER Nichts, reg dich nicht auf, gar nichts.

DOKTOR Das hab ich ja nicht wissen können –

LEHRER Was?

DOKTOR Wieso denn ist euer Sohn ein Jud?

LEHRER *schweigt.*

DOKTOR Ich muß schon sagen, einfach rechtsumkehrt und davon, ich habe ihn ärztlich behandelt, sogar geplaudert mit ihm, ich habe ihm erklärt, was ein Virus ist –

LEHRER Ich hab zu arbeiten.

Schweigen

MUTTER Andri ist unser Pflegesohn.

LEHRER Guten Abend.

DOKTOR Guten Abend.

Der Doktor nimmt Hut und Köfferchen.

Ich geh ja schon.

Der Doktor geht.

LEHRER Was ist wieder geschehn?

MUTTER Reg dich nicht auf!

LEHRER Wie kommt diese Existenz in mein Haus?

MUTTER Er ist der neue Amtsarzt.

Eintritt nochmals der Doktor.

DOKTOR Er soll die Pillen trotzdem nehmen.

Der Doktor zieht den Hut ab.

Bitte um Entschuldigung.

Der Doktor setzt den Hut wieder auf.

Was hab ich denn gesagt ... bloß weil ich gesagt habe ... im Spaß natürlich, sie verstehen keinen Spaß, das sag ich ja, hat man je einen Jud getroffen, der Spaß versteht?*Also ich nicht ... dabei hab ich bloß gesagt: Ich kenne den Jud. Die Wahrheit wird man in Andorra wohl noch sagen dürfen ...

LEHRER *schweigt.*

DOKTOR Wo hab ich jetzt meinen Hut?

LEHRER *tritt zum Doktor, nimmt ihm den Hut vom Kopf, öffnet die Türe und wirft den Hut hinaus.*
Dort ist Ihr Hut!
Der Doktor geht.

MUTTER Ich habe dir gesagt, du sollst dich nicht aufregen. Das wird er nie verzeihen. Du verkrachst dich mit aller Welt, das macht es dem Andri nicht leichter.

LEHRER Er soll kommen.

MUTTER Andri! Andri!

LEHRER Der hat uns noch gefehlt.*Der und Amtsarzt! Ich weiß nicht, die Welt hat einen Hang, immer grad die mieseste Wendung zu nehmen ...
Eintreten Andri und Barblin.

LEHRER Also ein für allemal,* Andri, kümmre dich nicht um ihr Geschwätz. Ich werde kein Unrecht dulden, das weißt du, Andri.

ANDRI Ja, Vater.

LEHRER Wenn dieser Herr, der neuerdings unser Amtsarzt ist, noch einmal sein dummes Maul auftut, dieser Akademiker, dieser verkrachte, dieser Schmugglersohn – ich hab auch geschmuggelt, ja, wie jeder Andorraner: aber keine Titel! – dann, sage ich, fliegt er selbst die Treppe hinunter und zwar persönlich, nicht bloß sein Hut. *Zur Mutter:* Ich fürchte sie nicht! *Zu Andri:* Und du, verstanden, du sollst sie auch nicht fürchten. Wenn wir zusammenhalten, du und ich, wie zwei Männer, Andri, wie Freunde, wie Vater und Sohn – oder habe ich dich nicht behandelt wie meinen Sohn? Hab ich dich je zurückgesetzt? Dann sag es mir ins Gesicht. Hab ich dich anders gehalten, Andri, als meine Tochter? Sag es mir ins Gesicht. Ich warte.

ANDRI Was, Vater, soll ich sagen?

LEHRER Ich kann's nicht leiden, wenn du dastehst wie ein Meßknabe, der gestohlen hat oder was weiß ich, so artig, weil du mich fürchtest. Manchmal platzt mir der Kragen, ich weiß, ich bin ungerecht. Ich hab's nicht gezählt und gebucht, was mir als Erzieher unterlaufen ist.*

MUTTER *deckt den Tisch.*

LEHRER Hat Mutter dich herzlos behandelt?

MUTTER Was hältst du denn für Reden! Man könnte meinen, du redest vor einem Publikum.

LEHRER Ich rede mit Andri.

MUTTER Also.

LEHRER Von Mann zu Mann.

MUTTER Man kann essen.

Die Mutter geht hinaus.

LEHRER Das ist eigentlich alles, was ich dir sagen wollte.

BARBLIN *deckt den Tisch fertig.*

LEHRER Warum, wenn er draußen so ein großes Tier*ist, bleibt er nicht draußen, dieser Professor, der's auf allen Universitäten der Welt nicht einmal zum Doktor gebracht hat? Dieser Patriot, der unser Amtsarzt geworden ist, weil er keinen Satz bilden kann ohne Heimat und Andorra. Wer denn soll schuld daran sein, daß aus seinem Ehrgeiz nichts geworden ist, wer denn, wenn nicht der Jud? – Also ich will dieses Wort nicht mehr hören.

MUTTER *bringt die Suppe.*

LEHRER Auch du, Andri, sollst dieses Wort nicht in den Mund nehmen. Verstanden? Ich duld es nicht. Sie wissen ja nicht, was sie reden, und ich will nicht, daß du am Ende noch glaubst, was sie reden. Denk dir, es ist nichts dran. Ein für allemal. Verstanden? Ein für allemal.

MUTTER Bist du fertig?

LEHRER 's ist auch nichts dran.*

MUTTER Dann schneid uns das Brot.

LEHRER *schneidet das Brot.*

ANDRI Ich wollte etwas andres fragen ...

MUTTER *schöpft die Suppe.*

ANDRI Vielleicht wißt Ihr es aber schon. Nichts ist geschehn, Ihr braucht nicht immer zu erschrecken. Ich weiß nicht, wie man so etwas sagt: – Ich werde einundzwanzig, und Barblin ist neunzehn ...

LEHRER Und?

ANDRI Wir möchten heiraten.

LEHRER *läßt das Brot fallen.*

ANDRI Ja. Ich bin gekommen, um zu fragen – ich wollte es tun, wenn ich die Tischlerprobe bestanden habe, aber daraus wird ja nichts – Wir wollen uns jetzt verloben, damit die andern es wissen und der Barblin nicht überall nachlaufen.

LEHRER – – – heiraten?

ANDRI Ich bitte dich, Vater, um die Hand deiner Tochter.

LEHRER *erhebt sich wie ein Verurteilter.*

MUTTER Ich hab das kommen sehen, Can.

LEHRER Schweig!

MUTTER Deswegen brauchst du das Brot nicht fallen zu lassen.

Die Mutter nimmt das Brot vom Boden.

Sie lieben einander.

LEHRER Schweig!

Schweigen

ANDRI Es ist aber so, Vater, wir lieben einander. Davon zu reden ist schwierig. Seit der grünen Kammer, als wir Kinder waren, reden wir vom Heiraten. In der Schule schämten wir uns, weil alle uns auslachten: Das geht ja nicht, sagten sie, weil wir

Bruder und Schwester sind! Einmal wollten wir uns vergiften, weil wir Bruder und Schwester sind, mit Tollkirschen, aber es war Winter, es gab keine Tollkirschen. Und wir haben geweint, bis Mutter es gemerkt hat – bis du gekommen bist, Mutter, du hast uns getröstet und gesagt, daß wir gar nicht Bruder und Schwester sind. Und diese ganze Geschichte, wie Vater mich über die Grenze gerettet hat, weil ich Jud bin. Da war ich froh drum und sagte es ihnen in der Schule und überall. Seither schlafen wir nicht mehr in der gleichen Kammer, wir sind ja keine Kinder mehr.

Der Lehrer schweigt wie versteinert.

Es ist Zeit, Vater, daß wir heiraten.

LEHRER Andri, das geht nicht.

MUTTER Wieso nicht?

LEHRER Weil es nicht geht!

MUTTER Schrei nicht.

LEHRER Nein – Nein – Nein . . .

BARBLIN *bricht in Schluchzen aus.*

MUTTER Und du heul nicht gleich!

BARBLIN Dann bring ich mich um.

MUTTER Und red keinen Unfug!

BARBLIN Oder ich geh zu den Soldaten, jawohl.

MUTTER Dann straf dich Gott!

BARBLIN Soll er.*

ANDRI Barblin?

BARBLIN *läuft hinaus.*

LEHRER Sie ist ein Huhn. Laß sie! Du findest noch Mädchen genug.

Andri reißt sich von ihm los.

Andri –!

ANDRI Sie ist wahnsinnig.

LEHRER Du bleibst.

Andri bleibt.

Es ist das erste Nein, Andri, das ich dir sagen muß.

Der Lehrer hält sich beide Hände vors Gesicht.

Nein!

MUTTER Ich versteh dich nicht, Can, ich versteh dich nicht. Bist du eifersüchtig? Barblin ist neunzehn, und einer wird kommen. Warum nicht Andri, wo wir ihn kennen? Das ist der Lauf der Welt. Was starrst du vor dich hin und schüttelst den Kopf, wo's*ein großes Glück ist, und willst deine Tochter nicht geben? Du schweigst. Willst du sie heiraten? Du schweigst in dich hinein, weil du eifersüchtig bist, Can, auf die Jungen und auf das Leben überhaupt und daß es jetzt weitergeht ohne dich.

LEHRER Was weißt denn du!

MUTTER Ich frag ja nur.

LEHRER Barblin ist ein Kind –

MUTTER Das sagen alle Väter. Ein Kind! – für dich, Can, aber nicht für den Andri.

LEHRER *schweigt.*

MUTTER Warum sagst du nein?

LEHRER *schweigt.*

ANDRI Weil ich Jud bin.

LEHRER Andri –

ANDRI So sagt es doch.

LEHRER Jud! Jud!

ANDRI Das ist es doch.

LEHRER Jud! Jedes dritte Wort, kein Tag vergeht, jedes zweite Wort, kein Tag ohne Jud, keine Nacht ohne Jud, ich höre Jud, wenn einer schnarcht, Jud, Jud, kein Witz ohne Jud, kein Geschäft ohne Jud, kein Fluch ohne Jud, ich höre Jud, wo keiner ist, Jud und Jud und nochmals Jud, die Kinder spielen Jud, wenn ich den Rücken drehe, jeder plappert's nach, die Pferde wiehern's in den Gassen: Juuuud, Juud, Jud . . .

MUTTER Du übertreibst.

LEHRER Gibt es denn keine andern Gründe mehr?!

MUTTER Dann sag sie.

LEHRER *schweigt, dann nimmt er seinen Hut.*

MUTTER Wohin?

LEHRER Wo ich meine Ruh hab.

Er geht und knallt die Tür zu.

MUTTER Jetzt trinkt er wieder bis Mitternacht.

Andri geht langsam nach der andern Seite.

MUTTER Andri? – Jetzt sind alle auseinander.

FÜNFTES BILD

Platz von Andorra, der Lehrer sitzt allein vor der Pinte, der Wirt bringt den bestellten Schnaps, den der Lehrer noch nicht nimmt.

WIRT Was gibt's Neues?
LEHRER Noch ein Schnaps.
Der Wirt geht.
LEHRER Weil ich Jud bin!
Jetzt kippt er den Schnaps.
Einmal werd ich die Wahrheit sagen – das meint man, aber die Lüge ist ein Egel, sie hat die Wahrheit ausgesaugt. Das wächst. Ich werd's nimmer los. Das wächst und hat Blut. Das sieht mich an wie ein Sohn, ein leibhaftiger Jud, mein Sohn ... Was gibt's Neues? – ich habe gelogen, und ihr habt ihn gestreichelt, solang er klein war, und jetzt ist er ein Mann, jetzt will er heiraten, ja, seine Schwester – Das gibt's Neues! ... ich weiß, was ihr denkt, im voraus: Auch einem Judenretter ist das eigne Kind zu schad für*den Jud! Ich sehe euer Grinsen schon.
Auftritt der Jemand und setzt sich zum Lehrer.
JEMAND Was gibt's Neues?
LEHRER *schweigt.*
JEMAND *nimmt sich seine Zeitung vor.*
LEHRER Warum grinsen Sie?

JEMAND Sie drohen wieder.

LEHRER Wer?

JEMAND Die da drüben.

Der Lehrer erhebt sich, der Wirt kommt heraus.

WIRT Wohin?

LEHRER Wo ich meine Ruhe hab.

Der Lehrer geht in die Pinte hinein.

JEMAND Was hat er denn? Wenn der so weitermacht, der nimmt kein gutes Ende, möchte ich meinen ... Mir ein Bier.

Der Wirt geht.

Seit der Junge nicht mehr da ist, wenigstens kann man seine Zeitung lesen: ohne das Orchestrion, wo er alleweil sein Trinkgeld verklimpert hat*..

SECHSTES BILD

Vor der Kammer der Barblin. Andri schläft allein auf der Schwelle. Kerzenlicht. Es erscheint ein großer Schatten an der Wand, der Soldat. Andri schnarcht. Der Soldat erschrickt und zögert. Stundenschlag einer Turmuhr, der Soldat sieht, daß Andri sich nicht rührt, und wagt sich bis zur Türe, zögert wieder, öffnet die Türe, Stundenschlag einer andern Turmuhr, jetzt steigt er über den schlafenden Andri hinweg und dann, da er schon soweit ist, hinein in die finstere Kammer. Barblin will schreien, aber der Mund wird ihr zugehalten. Stille. Andri erwacht.

ANDRI Barblin!? ...
Stille
Jetzt ist es wieder still draußen, sie haben mit Saufen und Grölen aufgehört, jetzt sind alle im Bett.
Stille
Schläfst du, Barblin? Wie spät kann es sein? Ich hab geschlafen. Vier Uhr? Die Nacht ist wie Milch, du, wie blaue Milch. Bald fangen die Vögel an. Wie eine Sintflut von Milch ...
Geräusch
Warum riegelst du die Tür?
Stille
Soll er doch heraufkommen, dein Alter, soll er

mich auf der Schwelle seiner Tochter finden. Meinetwegen! Ich geb's nicht auf, Barblin, ich werd auf deiner Schwelle sitzen jede Nacht, und wenn er sich zu Tod säuft darüber, jede Nacht.

Er nimmt sich eine Zigarette.

Jetzt bin ich wieder so wach ...

Er sitzt und raucht.

Ich schleiche nicht länger herum wie ein bettelnder Hund. Ich hasse. Ich weine nicht mehr. Ich lache. Je gemeiner sie sind wider mich, um so wohler fühle ich mich in meinem Haß. Und um so sichrer. Haß macht Pläne. Ich freue mich jetzt von Tag zu Tag, weil ich einen Plan habe, und niemand weiß davon, und wenn ich verschüchtert gehe, so tu ich nur so. Haß macht listig. Haß macht stolz. Eines Tags werde ich's ihnen zeigen. Seit ich sie hasse, manchmal möcht ich pfeifen und singen, aber ich tu's nicht. Haß macht geduldig. Und hart. Ich hasse ihr Land, das wir verlassen werden, und ihre Gesichter alle. Ich liebe einen einzigen Menschen, und das ist genug.

Er horcht.

Die Katze ist auch noch wach!

Er zählt Münzen.

Heut habe ich anderthalb Pfund verdient, Barblin, anderthalb Pfund an einem einzigen Tag. Ich spare jetzt. Ich geh auch nicht mehr an die Klimperkiste –

Er lacht.

Wenn sie sehen könnten, wie sie recht haben: alleweil zähl ich mein Geld!

Er horcht.

Da schlurft noch einer nach Haus.

Vogelzwitschern

Gestern hab ich diesen Peider gesehen, weißt du, der ein Aug hat auf dich, der mir das Bein gestellt hat, jetzt grinst er jedesmal, wenn er mich sieht, aber es macht mir nichts aus –

Er horcht.

Er kommt herauf!

Tritte im Haus

Jetzt haben wir schon einundvierzig Pfund, Barblin, aber sag's niemand. Wir werden heiraten. Glaub mir, es gibt eine andre Welt, wo niemand uns kennt und wo man mir kein Bein stellt, und wir werden dahin fahren, Barblin, dann kann er hier schreien, soviel er will.

Er raucht.

Es ist gut, daß du geriegelt hast.

Auftritt der Lehrer.

LEHRER Mein Sohn!

ANDRI Ich bin nicht dein Sohn.

LEHRER Ich bin gekommen, Andri, um dir die Wahrheit zu sagen, bevor es wieder Morgen ist . . .

ANDRI Du hast getrunken.

LEHRER Deinetwegen, Andri, deinetwegen.

Andri lacht.

Mein Sohn –

ANDRI Laß das!

LEHRER Hörst du mich an?

ANDRI Halt dich an einem Laternenpfahl, aber nicht an mir, ich rieche dich.

Andri macht sich los.

Und sag nicht immer: Mein Sohn! wenn du blau bist.

LEHRER *wankt.*

ANDRI Deine Tochter hat geriegelt, sei beruhigt.

LEHRER Andri –

ANDRI Du kannst nicht mehr stehen.

LEHRER Ich bin bekümmert . . .

ANDRI Das ist nicht nötig.

LEHRER Sehr bekümmert . . .

ANDRI Mutter weint und wartet auf dich.

LEHRER Damit habe ich nicht gerechnet . . .

ANDRI Womit hast du nicht gerechnet?

LEHRER Daß du nicht mein Sohn sein willst.
Andri lacht.
Ich muß mich setzen . . .

ANDRI Dann gehe ich.

LEHRER Also du willst mich nicht anhören?

ANDRI *nimmt die Kerze.*

LEHRER Dann halt nicht.

ANDRI Ich verdanke dir mein Leben. Ich weiß. Wenn du Wert drauf legst, ich kann es jeden Tag einmal sagen: Ich verdanke dir mein Leben. Sogar zweimal am Tag: Ich verdanke dir mein Leben. Einmal am Morgen, einmal am Abend: Ich verdanke dir mein Leben, ich verdanke dir mein Leben.

LEHRER Ich hab getrunken, Andri, die ganze Nacht, um dir die Wahrheit zu sagen – ich hab zuviel getrunken . . .

ANDRI Das scheint mir auch.

LEHRER Du verdankst mir dein Leben . . .

ANDRI Ich verdanke es.

LEHRER Du verstehst mich nicht . . .

ANDRI *schweigt.*

LEHRER Steh nicht so da! – wenn ich dir mein Leben erzähle . . .
Hähne krähen.
Also mein Leben interessiert dich nicht?

ANDRI Mich interessiert mein eignes Leben.
Hähne krähen.

Jetzt krähen schon die Hähne.

LEHRER *wankt.*

ANDRI Tu nicht, als ob du noch denken könntest.

LEHRER Du verachtest mich ...

ANDRI Ich schau dich an. Das ist alles. Ich habe dich verehrt. Nicht weil du mein Leben gerettet hast, sondern weil ich glaubte, du bist nicht wie alle, du denkst nicht ihre Gedanken, du hast Mut. Ich hab mich verlassen auf dich. Und dann hat es sich gezeigt, und jetzt schau ich dich an.

LEHRER Was hat sich gezeigt? ...

ANDRI *schweigt.*

LEHRER Ich denke nicht ihre Gedanken, Andri, ich hab ihnen die Schulbücher zerrissen, ich wollte andre haben –

ANDRI Das ist bekannt.

LEHRER Weißt du, was ich getan habe?

ANDRI Ich geh jetzt.

LEHRER Ob du weißt, was ich getan habe ...

ANDRI Du hast ihnen die Schulbücher zerrissen.

LEHRER – ich hab gelogen.

Pause

Du willst mich nicht verstehn ...

Hähne krähen.

ANDRI Um sieben muß ich im Laden sein, Stühle verkaufen, Tische verkaufen, Schränke verkaufen, meine Hände reiben.

LEHRER Warum mußt du deine Hände reiben?

ANDRI »Kann man finden einen bessern Stuhl?*Wackelt das? Ächzt das? Kann man finden einen billigeren Stuhl?«

Der Lehrer starrt ihn an.

Ich muß reich werden.

LEHRER Warum mußt du reich werden?

ANDRI Weil ich Jud bin.
LEHRER Mein Sohn –!
ANDRI Faß mich nicht wieder an!
LEHRER *wankt.*
ANDRI Du ekelst mich.
LEHRER Andri –
ANDRI Heul nicht.
LEHRER Andri –
ANDRI Geh pissen.
LEHRER Was sagst du?
ANDRI Heul nicht den Schnaps aus den Augen; wenn du ihn nicht halten kannst, sag ich, geh.
LEHRER Du hassest mich?
ANDRI *schweigt.*
Der Lehrer geht.
ANDRI Barblin, er ist gegangen. Ich hab ihn nicht kränken wollen. Aber es wird immer ärger. Hast du ihn gehört? Er weiß nicht mehr, was er redet, und dann sieht er aus wie einer, der weint ... Schläfst du?
Er horcht an der Türe.
Barblin! Barblin?
Er rüttelt an der Türe, dann versucht er die Türe zu sprengen, er nimmt einen neuen Anlauf, aber in diesem Augenblick öffnet sich die Türe von innen: im Rahmen steht der Soldat, beschienen von der Kerze, barfuß, Hosen mit offenem Gurt, Oberkörper nackt.
Barblin ...
SOLDAT Verschwinde.
ANDRI Das ist nicht wahr ...
SOLDAT Verschwinde, du, oder ich mach dich zur Sau.*

VORDERGRUND

Der Soldat, jetzt in Zivil, tritt an die Zeugenschranke.

SOLDAT Ich gebe zu: Ich hab ihn nicht leiden können. Ich habe ja nicht gewußt, daß er keiner ist, immer hat's geheißen, er sei einer. Übrigens glaub ich noch heut, daß er einer gewesen ist. Ich hab ihn nicht leiden können von Anfang an. Aber ich hab ihn nicht getötet. Ich habe nur meinen Dienst getan. Order ist Order. Wo kämen wir hin, wenn Befehle nicht ausgeführt werden! Ich war Soldat.

SIEBENTES BILD

Sakristei, der Pater und Andri.

PATER Andri, wir wollen sprechen miteinander. Deine Pflegemutter wünscht es. Sie macht sich große Sorge um dich... Nimm Platz!

ANDRI *schweigt.*

PATER Nimm Platz, Andri!

ANDRI *schweigt.*

PATER Du willst dich nicht setzen?

ANDRI *schweigt.*

PATER Ich verstehe, du bist zum ersten Mal hier. Sozusagen. Ich erinnere mich: Einmal als euer Fußball hereingeflogen ist, sie haben dich geschickt, um ihn hinter dem Altar zu holen.
Der Pater lacht.

ANDRI Wovon, Hochwürden, sollen wir sprechen?

PATER Nimm Platz!

ANDRI *schweigt.*

PATER Also du willst dich nicht setzen.

ANDRI *schweigt.*

PATER Nun gut.

ANDRI Stimmt das, Hochwürden, daß ich anders bin als alle?
Pause

PATER Andri, ich will dir etwas sagen.

ANDRI – ich bin vorlaut, ich weiß.

PATER Ich verstehe deine Not. Aber du sollst wissen, daß wir dich gern haben, Andri, so wie du bist. Hat dein Pflegevater nicht alles getan für dich? Ich höre, er hat Land verkauft, damit du Tischler wirst.

ANDRI Ich werde aber nicht Tischler.

PATER Wieso nicht?

ANDRI Meinesgleichen denkt alleweil nur ans Geld, heißt es, und drum gehöre ich nicht in die Werkstatt, sagt der Tischler, sondern in den Verkauf. Ich werde Verkäufer, Hochwürden.

PATER Nun gut.

ANDRI Ich wollte aber Tischler werden.

PATER Warum setzest du dich nicht?

ANDRI Hochwürden irren sich, glaub ich. Niemand mag mich. Der Wirt sagt, ich bin vorlaut, und der Tischler findet das auch, glaub ich. Und der Doktor sagt, ich bin ehrgeizig, und meinesgleichen hat kein Gemüt.

PATER Setz dich!

ANDRI Stimmt das, Hochwürden, daß ich kein Gemüt habe?

PATER Mag sein, Andri, du hast etwas Gehetztes.

ANDRI Und Peider sagt, ich bin feig.

PATER Wieso feig?

ANDRI Weil ich Jud bin.

PATER Was kümmerst du dich um Peider!

ANDRI *schweigt.*

PATER Andri, ich will dir etwas sagen.

ANDRI Man soll nicht immer an sich selbst denken, ich weiß. Aber ich kann nicht anders,* Hochwürden, es ist so. Immer muß ich denken, ob's wahr ist, was die andern von mir sagen: daß ich nicht bin wie sie, nicht fröhlich, nicht gemütlich, nicht einfach so. Und Hochwürden finden ja auch, ich hab etwas Gehetztes. Ich versteh schon, daß niemand mich mag. Ich mag mich selbst nicht, wenn ich an mich selbst denke.

Der Pater erhebt sich.

Kann ich jetzt gehn?

PATER Jetzt hör mich einmal an!

ANDRI Was, Hochwürden, will man von mir?

PATER Warum so mißtrauisch?

ANDRI Alle legen ihre Hände auf meine Schulter.

PATER Weißt du, Andri, was du bist?

Der Pater lacht.

Du weißt es nicht, drum sag ich es dir.

Andri starrt ihn an.

Ein Prachtskerl! In deiner Art. Ein Prachtskerl! Ich habe dich beobachtet, Andri, seit Jahr und Tag –

ANDRI Beobachtet?

PATER Freilich.

ANDRI Warum beobachtet ihr mich alle?

PATER Du gefällst mir, Andri, mehr als alle andern, ja, grad weil du anders bist als alle. Was schüttelst du den Kopf? Du bist gescheiter als sie. Jawohl! Das gefällt mir an dir, Andri, und ich bin froh, daß du gekommen bist und daß ich es dir einmal sagen kann.

ANDRI Das ist nicht wahr.

PATER Was ist nicht wahr?

ANDRI Ich bin nicht anders. Ich will nicht anders sein. Und wenn er dreimal so kräftig ist wie ich, dieser Peider, ich hau ihn zusammen vor allen Leuten auf dem Platz, das hab ich mir geschworen –

PATER Meinetwegen.

ANDRI Das hab ich mir geschworen –

PATER Ich mag ihn auch nicht.

ANDRI Ich will mich nicht beliebt machen. Ich werde mich wehren. Ich bin nicht feig – und nicht gescheiter als die andern, Hochwürden, ich will nicht, daß Hochwürden das sagen.

PATER Hörst du mich jetzt an?

ANDRI Nein.

Andri entzieht sich.

Ich mag nicht immer eure Hände auf meinen Schultern ...

Pause

PATER Du machst es einem wirklich nicht leicht.

Pause

PATER Kurz und gut, deine Pflegemutter war hier. Mehr als vier Stunden. Die gute Frau ist ganz unglücklich. Du kommst nicht mehr zu Tisch, sagt sie, und bist verstockt. Sie sagt, du glaubst nicht, daß man dein Bestes will.

ANDRI Alle wollen mein Bestes!

PATER Warum lachst du?

ANDRI Wenn er mein Bestes will, warum, Hochwürden, warum will er mir alles geben, aber nicht seine eigene Tochter?

PATER Es ist sein väterliches Recht –

ANDRI Warum aber? Warum? Weil ich Jud bin.

PATER Schrei nicht!

ANDRI *schweigt.*

PATER Kannst du nichts andres mehr denken in deinem Kopf? Ich habe dir gesagt, Andri, als Christ, daß ich dich liebe – aber eine Unart, das muß ich leider schon sagen, habt ihr alle: Was immer euch widerfährt in diesem Leben, alles und jedes bezieht ihr nur darauf, daß ihr Jud seid. Ihr macht es einem wirklich nicht leicht mit eurer Überempfindlichkeit.

ANDRI *schweigt.*
PATER Du weinst ja.
ANDRI *schluchzt.*
PATER Was ist geschehen? Antworte mir. Was ist denn los? Ich frage dich, was geschehen ist. Andri! So rede doch. Andri? Du schlotterst ja. Was ist mit Barblin? Du hast ja den Verstand verloren. Wie soll ich helfen, wenn du nicht redest? So nimm dich doch zusammen. Andri! Hörst du? Andri! Du bist doch ein Mann. Du! Also ich weiß nicht.
ANDRI – meine Barblin.
Andri läßt die Hände von seinem Gesicht fallen und starrt vor sich hin.
Sie kann mich nicht lieben, niemand kann's, ich selbst kann mich nicht lieben ...
Eintritt ein Kirchendiener mit einem Meßgewand.
Kann ich jetzt gehn?
Der Kirchendiener knöpft den Pater auf.
PATER Du kannst trotzdem bleiben.
Der Kirchendiener kleidet den Pater zur Messe.
Du sagst es selbst. Wie sollen die andern uns lieben können, wenn wir uns selbst nicht lieben? Unser Herr sagt: Liebe deinen Nächsten wie dich selbst. Er sagt: Wie dich selbst. Wir müssen uns selbst annehmen, und das ist es, Andri, was du nicht tust. Warum willst du sein wie die andern? Du bist gescheiter als sie, glaub mir, du bist wacher. Wieso willst du's nicht wahrhaben? 's ist ein Funke in dir. Warum spielst du Fußball wie diese Blödiane alle und brüllst auf der Wiese herum, bloß um ein Andorraner zu sein? Sie mögen dich alle nicht, ich weiß. Ich weiß auch warum. 's ist ein Funke in dir. Du denkst. Warum soll's nicht auch Geschöpfe geben, die mehr Verstand haben als

Gefühl? Ich sage: Gerade dafür bewundere ich euch. Was siehst du mich so an? 's ist ein Funke in euch. Denk an Einstein!* Und wie sie alle heißen. Spinoza!*

ANDRI Kann ich jetzt gehn?

PATER Kein Mensch, Andri, kann aus seiner Haut heraus, kein Jud und kein Christ. Niemand. Gott will, daß wir sind, wie er uns geschaffen hat. Verstehst du mich? Und wenn sie sagen, der Jud ist feig, dann wisse: Du bist nicht feig, Andri, wenn du es annimmst, ein Jud zu sein. Im Gegenteil. Du bist nun einmal anders als wir. Hörst du mich? Ich sage: Du bist nicht feig. Bloß wenn du sein willst wie die Andorraner alle, dann bist du feig...
Eine Orgel setzt ein.

ANDRI Kann ich jetzt gehn?

PATER Denk darüber nach, Andri, was du selbst gesagt hast: Wie sollen die andern dich annehmen, wenn du dich selbst nicht annimmst?

ANDRI Kann ich jetzt gehn ...

PATER Andri, hast du mich verstanden?

VORDERGRUND

Der Pater kniet.

PATER Du sollst dir kein Bildnis machen von Gott,* deinem Herrn, und nicht von den Menschen, die seine Geschöpfe sind. Auch ich bin schuldig geworden damals. Ich wollte ihm mit Liebe begegnen, als ich gesprochen habe mit ihm. Auch ich habe mir ein Bildnis gemacht von ihm, auch ich habe ihn gefesselt, auch ich habe ihn an den Pfahl gebracht.

ACHTES BILD

Platz von Andorra. Der Doktor sitzt als einziger; die andern stehen: der Wirt, der Tischler, der Soldat, der Geselle, der Jemand.

DOKTOR Ich sage: Beruhigt euch!

SOLDAT Wieso kann Andorra nicht überfallen werden?

DOKTOR *zündet sich einen Zigarillo*an.*

SOLDAT Ich sage: Pfui Teufel!

WIRT Soll ich vielleicht sagen, es gibt in Andorra kein anständiges Zimmer? Ich bin Gastwirt. Man kann eine Fremdlingin nicht von der Schwelle weisen –

JEMAND *lacht.*

WIRT Was bleibt mir andres übrig? Da steht eine Senora und fragt, ob es ein anständiges Zimmer gibt –

SOLDAT Eine Senora, ihr hört's!

TISCHLER Eine von drüben?

SOLDAT Unsereiner kämpft, wenn's losgeht, bis zum letzten Mann, und der bewirtet sie!
Er spuckt aufs Pflaster.
Ich sage: Pfui Teufel.*

DOKTOR Nur keine Aufregung.
Er raucht.
Ich bin weit in der Welt herumgekommen, das könnt ihr mir glauben. Ich bin Andorraner, das ist bekannt, mit Leib und Seele. Sonst wäre ich nicht in die Heimat zurückgekehrt, ihr guten Leute,

sonst hätte euer Professor nicht verzichtet auf alle Lehrstühle der Welt –

JEMAND *lacht.*

WIRT Was gibts da zu lachen?

JEMAND Wer kämpft bis zum letzten Mann?

SOLDAT Ich.

JEMAND In der Bibel heißt's, die Letzten werden die Ersten sein, oder umgekehrt, ich weiß nicht, die Ersten werden die Letzten sein.

SOLDAT Was will er damit sagen?

JEMAND Ich frag ja bloß.

SOLDAT Bis zum letzten Mann, das ist Order. Lieber tot als untertan, das steht in jeder Kaserne. Das ist Order. Sollen sie kommen, sie werden ihr blaues Wunder erleben ...

Kleines Schweigen

TISCHLER Wieso kann Andorra nicht überfallen werden?

DOKTOR Die Lage ist gespannt, ich weiß.

TISCHLER Gespannt wie noch nie.

DOKTOR Das ist sie schon seit Jahren.

TISCHLER Wozu haben sie Truppen an der Grenze?

DOKTOR Was ich habe sagen wollen: Ich bin weit in der Welt herumgekommen. Eins könnt Ihr mir glauben: In der ganzen Welt gibt es kein Volk, das in der ganzen Welt so beliebt ist wie wir. Das ist eine Tatsache.

TISCHLER Schon.*

DOKTOR Fassen wir einmal diese Tatsache ins Auge, fragen wir uns: Was kann einem Land wie Andorra widerfahren? Einmal ganz sachlich.

WIRT Das stimmt, das stimmt.

SOLDAT Was stimmt?

WIRT Kein Volk ist so beliebt wie wir.

TISCHLER Schon.

DOKTOR Beliebt ist kein Ausdruck.*Ich habe Leute getroffen, die keine Ahnung haben, wo Andorra liegt, aber jedes Kind in der Welt weiß, daß Andorra ein Hort ist, ein Hort des Friedens und der Freiheit und der Menschenrechte.

WIRT Sehr richtig.

DOKTOR Andorra ist ein Begriff, geradezu ein Inbegriff, wenn ihr begreift, was das heißt.

Er raucht.

Ich sage: sie werden's nicht wagen.

SOLDAT Wieso nicht, wieso nicht?

WIRT Weil wir ein Inbegriff sind.

SOLDAT Aber die haben die Übermacht!

WIRT Weil wir so beliebt sind.

Der Idiot bringt einen Damenkoffer und stellt ihn hin.

SOLDAT Da: – bitte!

Der Idiot geht wieder.

TISCHLER Was will die hier?

GESELLE Eine Spitzelin!

SOLDAT Was sonst?

GESELLE Eine Spitzelin!

SOLDAT Und der bewirtet sie!

JEMAND *lacht.*

SOLDAT Grinsen Sie nicht immer so blöd.

JEMAND Spitzelin ist gut.*

SOLDAT Was sonst soll die sein?

JEMAND Es heißt nicht Spitzelin, sondern Spitzel, auch wenn die Lage gespannt ist und wenn es sich um eine weibliche Person handelt.

TISCHLER Ich frag mich wirklich, was die hier sucht.

Der Idiot bringt einen zweiten Damenkoffer.

SOLDAT Bitte! Bitte!

GESELLE Stampft ihr doch das Zeug zusammen!

WIRT Das fehlte noch.*

Der Idiot geht wieder.

WIRT Statt daß er das Gepäck hinaufbringt, dieser Idiot, läuft er wieder davon, und ich hab das Aufsehen von allen Leuten –

JEMAND *lacht.*

WIRT Ich bin kein Verräter. Nicht wahr, Professor, nicht wahr? Das ist nicht wahr. Ich bin Wirt. Ich wäre der erste, der einen Stein wirft. Jawohl! Noch gibt's ein Gastrecht in Andorra, ein altes und heiliges Gastrecht. Nicht wahr, Professor, nicht wahr? Ein Wirt kann nicht Nein sagen, und wenn die Lage noch so gespannt ist, und schon gar nicht, wenn es eine Dame ist.

JEMAND *lacht.*

GESELLE Und wenn sie Klotz hat!

JEMAND *lacht.*

WIRT Die Lage ist nicht zum Lachen, Herr.

JEMAND Spitzelin.

WIRT Laßt ihr Gepäck in Ruh!

JEMAND Spitzelin ist sehr gut.

Der Idiot bringt einen Damenmantel und legt ihn hin.

SOLDAT Da: – bitte.

Der Idiot geht wieder.

TISCHLER Wieso meinen Sie, Andorra kann nicht überfallen werden?

DOKTOR Man hört mir ja nicht zu.

Er raucht.

Ich dachte, man hört mir zu.

Er raucht.

Sie werden es nicht wagen, sage ich. Und wenn sie noch soviel Panzer haben und Fallschirme obendrein, das können die sich gar nicht leisten. Oder wie Perin, unser großer Dichter, einmal gesagt hat: Unsere Waffe ist unsere Unschuld. Oder umgekehrt: Unsere Unschuld ist unsere Waffe. Wo in der Welt gibt es noch eine Republik, die das sagen kann? Ich frage: Wo? Ein Volk wie wir, das sich aufs Weltgewissen berufen kann wie kein anderes, ein Volk ohne Schuld –

Andri erscheint im Hintergrund.

SOLDAT Wie der wieder herumschleicht!

Andri verzieht sich, da alle ihn anblicken.

DOKTOR Andorraner, ich will euch etwas sagen. Noch kein Volk der Welt ist überfallen worden, ohne daß man ihm ein Vergehen hat vorwerfen können. Was sollen sie uns vorwerfen? Das Einzige, was Andorra widerfahren könnte, wäre ein Unrecht, ein krasses und offenes Unrecht. Und das werden sie nicht wagen. Morgen sowenig wie gestern. Weil die ganze Welt uns verteidigen würde. Schlagartig. Weil das ganze Weltgewissen auf unsrer Seite ist.

JEMAND Schlagartig.

WIRT Jetzt halten Sie endlich das Maul!

JEMAND *lacht.*

DOKTOR Wer sind Sie eigentlich?

JEMAND Ein fröhlicher Charakter.

DOKTOR Ihr Humor ist hier nicht am Platz.

GESELLE *tritt gegen die Koffer.*

WIRT Halt!

DOKTOR Was soll das?

WIRT Um Gotteswillen!

JEMAND *lacht.*

DOKTOR Unsinn. Darauf warten sie ja bloß. Belästigung von Reisenden in Andorra! Damit sie einen Vorwand haben gegen uns. So ein Unsinn! Wo ich euch sage: Beruhigt euch! Wir liefern ihnen keinen Vorwand – Spitzel hin oder her.*

WIRT *stellt die Koffer wieder zurecht.*

SOLDAT Ich sage: Pfui Teufel!

WIRT *wischt die Koffer wieder sauber.*

DOKTOR Ein Glück, daß es niemand gesehen hat . . .

Auftritt die Senora. Stille. Die Senora setzt sich an ein freies Tischlein. Die Andorraner mustern sie, während sie langsam ihre Handschuhe abstreift.

DOKTOR Ich zahle.

TISCHLER Ich auch.

Der Doktor erhebt sich und entfernt sich, indem er vor der Senora den Hut lüftet; der Tischler gibt dem Gesellen einen Wink, daß er ihm ebenfalls folge.

SENORA Ist hier etwas vorgefallen?

JEMAND *lacht.*

SENORA Kann ich etwas trinken?

WIRT Mit Vergnügen, Senora –

SENORA Was trinkt man hierzulande?

WIRT Mit Vergnügen, Senora –

SENORA Am liebsten ein Glas frisches Wasser.

WIRT Senora, wir haben alles.

JEMAND *lacht.*

WIRT Der Herr hat einen fröhlichen Charakter.

JEMAND *geht.*

SENORA Das Zimmer, Herr Wirt, ist ordentlich, sehr ordentlich.

WIRT *verneigt sich und geht.*

SOLDAT Und mir einen Korn!

Der Soldat bleibt und setzt sich, um die Senora zu begaffen. Im Vordergrund rechts, am Orchestrion, erscheint Andri und wirft eine Münze ein.

WIRT Immer diese Klimperkiste!
ANDRI Ich zahle.
WIRT Hast du nichts andres im Kopf?
ANDRI Nein.
Während die immergleiche Platte spielt: Die Senora schreibt einen Zettel, der Soldat gafft, sie faltet den Zettel und spricht zum Soldaten, ohne ihn anzublicken.
SENORA Gibt es in Andorra keine Frauen?
Der Idiot kommt zurück.
Du kennst einen Lehrer namens Can?
Der Idiot grinst und nickt.
Bringe ihm diesen Zettel.
Auftreten drei andere Soldaten und der Geselle.
SOLDAT Habt ihr das gehört? Ob's in Andorra keine Weiber gibt, fragt sie.
GESELLE Was hast du gesagt?
SOLDAT – nein, aber Männer!
GESELLE Hast du gesagt?
SOLDAT – ob sie vielleicht nach Andorra kommt, weil's drüben keine Männer gibt.
GESELLE Hast du gesagt?
SOLDAT Hab ich gesagt.
Sie grinsen.
Da ist er schon wieder. Gelb wie ein Käs! Der will mich verhauen . . .
Auftritt Andri, die Musik ist aus.
SOLDAT Wie geht's deiner Braut?
ANDRI *packt den Soldaten am Kragen.*
SOLDAT Was soll das?
Der Soldat macht sich los.
Ein alter Rabbi hat ihm das Märchen erzählt von David und Goliath, jetzt möcht er uns den David spielen.

Sie grinsen.

Gehn wir.

ANDRI Fedri –

GESELLE Wie er stottert!

ANDRI Warum hast du mich verraten?

SOLDAT Gehn wir.

Andri schlägt dem Soldaten die Mütze vom Kopf.

Paß auf, du!

Der Soldat nimmt die Mütze vom Pflaster und klopft den Staub ab.

Wenn du meinst, ich will deinetwegen in Arrest –

GESELLE Was will er denn bloß?

ANDRI Jetzt mach mich zur Sau.*

SOLDAT Gehn wir.

Der Soldat setzt sich die Mütze auf, Andri schlägt sie ihm nochmals vom Kopf, die andern lachen, der Soldat schlägt ihm plötzlich einen Haken, sodaß Andri stürzt.

Wo hast du die Schleuder, David?

Andri erhebt sich.

Unser David, unser David geht los!

Andri schlägt auch dem Soldaten plötzlich den Haken, der Soldat stürzt.

Jud, verdammter –!

SENORA Nein! Nein! Alle gegen einen. Nein!

Die andern Soldaten haben Andri gepackt, sodaß der Soldat loskommt. Der Soldat schlägt auf Andri, während die andern ihn festhalten. Andri wehrt sich stumm, plötzlich kommt er los. Der Geselle gibt ihm einen Fußtritt von hinten. Als Andri sich umdreht, packt ihn der Soldat seinerseits von hinten. Andri fällt. Die vier Soldaten und der Geselle versetzen ihm Fußtritte von allen

Seiten, bis sie die Senora wahrnehmen, die herbeigekommen ist.

SOLDAT – das hat noch gefehlt, uns lächerlich machen vor einer Fremden ...

Der Soldat und die andern verschwinden.

SENORA Wer bist du?

ANDRI Ich bin nicht feig.

SENORA Wie heißest du?

ANDRI Immer sagen sie, ich bin feig.

SENORA Nicht, nicht mit der Hand in die Wunde!

Auftritt der Wirt mit Karaffe und Glas auf Tablett.

WIRT Was ist geschehn?

SENORA Holen Sie einen Arzt.

WIRT Und das vor meinem Hotel –!

SENORA Geben Sie her.

Die Senora nimmt die Karaffe und ihr Taschentuch, kniet neben Andri, der sich aufzurichten versucht.

Sie haben ihn mit Stiefeln getreten.

WIRT Unmöglich, Senora!

SENORA Stehen Sie nicht da, ich bitte Sie, holen Sie einen Arzt.

WIRT Senora, das ist nicht üblich hierzuland ...

SENORA Ich wasche dich nur.

WIRT Du bist selbst schuld. Was kommst du immer, wenn die Soldaten da sind ...

SENORA Sieh mich an!

WIRT Ich habe dich gewarnt.

SENORA Zum Glück ist das Auge nicht verletzt.

WIRT Er ist selbst schuld, immer geht er an die Klimperkiste, ich hab ihn ja gewarnt, er macht die Leute rein nervös ...

SENORA Wollen Sie keinen Arzt holen?

Der Wirt geht.

ANDRI Jetzt sind alle gegen mich.

SENORA Schmerzen?

ANDRI Ich will keinen Arzt.

SENORA Das geht bis auf den Knochen.

ANDRI Ich kenne den Arzt.

Andri erhebt sich.

Ich kann schon gehn, das ist nur an der Stirn.

SENORA *erhebt sich.*

ANDRI Ihr Kleid, Senora! – Ich habe Sie blutig gemacht.

SENORA Führe mich zu deinem Vater.

Die Senora nimmt Andri am Arm, sie gehen langsam, während der Wirt und der Doktor kommen.

DOKTOR Arm in Arm?

WIRT Sie haben ihn mit Stiefeln getreten, ich hab's mit eigenen Augen gesehen, ich war drin.

DOKTOR *steckt sich einen Zigarillo an.*

WIRT Immer geht er an die Klimperkiste, ich hab's ihm noch gesagt, er macht die Leute rein nervös.

DOKTOR Blut?

WIRT Ich hab es kommen sehn.

DOKTOR *raucht.*

WIRT Sie sagen kein Wort.

DOKTOR Eine peinliche Sache.

WIRT Er hat angefangen.

DOKTOR Ich habe nichts wider dieses Volk, aber ich fühle mich nicht wohl, wenn ich einen von ihnen sehe. Wie man sich verhält, ist's falsch. Was habe ich denn gesagt? Sie können's nicht lassen, immer verlangen sie, daß unsereiner sich an ihnen bewährt. Als hätten wir nichts andres zu tun! Niemand hat gern ein schlechtes Gewissen, aber darauf legen sie's an.*Sie wollen, daß man ihnen ein Unrecht tut. Sie warten nur darauf ...

Er wendet sich zum Gehen.
Waschen Sie das bißchen Blut weg. Und schwatzen Sie nicht immer soviel in der Welt herum! Sie brauchen nicht jedermann zu sagen, was Sie mit eignen Augen gesehen haben.

VORDERGRUND

Der Lehrer und die Senora vor dem weißen Haus wie zu Anfang.

SENORA Du hast gesagt, unser Sohn sei Jude.

LEHRER *schweigt.*

SENORA Warum hast du diese Lüge in die Welt gesetzt?

LEHRER *schweigt.*

SENORA Eines Tages kam ein andorranischer Krämer vorbei, der überhaupt viel redete. Um Andorra zu loben, erzählte er überall die rührende Geschichte von einem andorranischen Lehrer, der damals, zur Zeit der großen Morde, ein Judenkind gerettet habe, das er hege und pflege wie einen eignen Sohn. Ich schickte sofort einen Brief: Bist du dieser Lehrer? Ich fordere Antwort. Ich fragte: Weißt du, was du getan hast? Ich wartete auf Antwort. Sie kam nicht. Vielleicht hast du meinen Brief nie bekommen. Ich konnte nicht glauben, was ich befürchtete. Ich schrieb ein zweites Mal, ein drittes Mal. Ich wartete auf Antwort. So verging die Zeit ... Warum hast du diese Lüge in die Welt gesetzt?

LEHRER Warum, warum, warum!

SENORA Du hast mich gehaßt, weil ich feige war, als das Kind kam. Weil ich Angst hatte vor meinen Leuten. Als du an die Grenze kamst, sagtest du, es sei ein Judenkind, das du gerettet hast vor uns. Warum? Weil auch du feige warst, als du wieder nach Hause kamst. Weil auch du Angst hattest vor deinen Leuten.

Pause

War es nicht so?

Pause

Vielleicht wolltest du zeigen, daß ihr so ganz anders seid als wir. Weil du mich gehaßt hast. Aber sie sind hier nicht anders, du siehst es, nicht viel.

LEHRER *schweigt.*

SENORA Er sagte, er wolle nach Haus, und hat mich hierher gebracht; als er dein Haus sah, drehte er um und ging weg, ich weiß nicht wohin.

LEHRER Ich werde es sagen, daß er mein Sohn ist, unser Sohn, ihr eignes Fleisch und Blut –

SENORA Warum gehst du nicht?

LEHRER Und wenn sie die Wahrheit nicht wollen?

PAUSE

NEUNTES BILD

Stube beim Lehrer, die Senora sitzt, Andri steht.

SENORA Da man also nicht wünscht, daß ich es dir sage, Andri, weswegen ich gekommen bin, ziehe ich jetzt meine Handschuhe an und gehe.

ANDRI Senora, ich verstehe kein Wort.

SENORA Bald wirst du alles verstehen.
Sie zieht einen Handschuh an.
Weißt du, daß du schön bist?
Lärm in der Gasse
Sie haben dich beschimpft und mißhandelt, Andri, aber das wird ein Ende nehmen. Die Wahrheit wird sie richten, und du, Andri, bist der einzige hier, der die Wahrheit nicht zu fürchten braucht.

ANDRI Welche Wahrheit?
Neuer Lärm in der Gasse

SENORA Ich bin froh, daß ich dich gesehen habe.

ANDRI Sie verlassen uns, Senora?

SENORA Man bittet darum.

ANDRI Wenn Sie sagen, kein Land sei schlechter und kein Land sei besser als Andorra, warum bleiben Sie nicht hier?

SENORA Möchtest du das?
Lärm in der Gasse
Ich muß. Ich bin eine von drüben, du hörst es, wie

ich sie verdrieße. Eine Schwarze! So nennen sie uns hier, ich weiß ...

Sie zieht den andern Handschuh an.

Vieles möchte ich dir noch sagen, Andri, und vieles fragen, lang mit dir sprechen. Aber wir werden uns wiedersehen, so hoffe ich ...

Sie ist fertig.

Wir werden uns wiedersehen.

Sie sieht sich nochmals um.

Hier also bist du aufgewachsen.

ANDRI Ja.

Lärm in der Gasse

SENORA Ich sollte jetzt gehen. *Sie bleibt sitzen.*

Als ich in deinem Alter war – das geht sehr schnell, Andri, du bist jetzt zwanzig und kannst es nicht glauben: man trifft sich, man liebt, man trennt sich, das Leben ist vorne, und wenn man in den Spiegel schaut, plötzlich ist es hinten, man kommt sich nicht viel anders vor, aber plötzlich sind es andere, die jetzt zwanzig sind ... Als ich in deinem Alter war: mein Vater, ein Offizier, war gefallen im Krieg, ich weiß, wie er dachte, und ich wollte nicht denken wie er. Wir wollten eine andere Welt. Wir waren jung wie du, und was man uns lehrte, war mörderisch, das wußten wir. Und wir verachteten die Welt, wie sie ist, wir durchschauten sie und wollten eine andere wagen. Und wir wagten sie auch. Wir wollten keine Angst haben vor den Leuten. Um nichts in der Welt. Wir wollten nicht lügen. Als wir sahen, daß wir die Angst nur verschwiegen, haßten wir einander. Unsere andere Welt dauerte nicht lang. Wir kehrten über die Grenze zurück, wo wir herkamen, als wir jung waren wie du ...

Sie erhebt sich.
Verstehst du, was ich sage?

ANDRI Nein.

SENORA *tritt zu Andri und küßt ihn.*

ANDRI Warum küssen Sie mich?

SENORA Ich muß gehen.
Lärm in der Gasse
Werden wir uns wiedersehen?

ANDRI Ich möchte es.

SENORA Ich wollte immer, ich hätte Vater und Mutter nie gekannt. Kein Mensch, wenn er die Welt sieht, die sie ihm hinterlassen, versteht seine Eltern.
Der Lehrer und die Mutter treten ein.

SENORA Ich gehe, ja, ich bin im Begriff zu gehen.
Schweigen
So sage ich denn Lebwohl.
Schweigen
Ich gehe, ja, jetzt gehe ich ...
Die Senora geht hinaus.

LEHRER Begleite sie! Aber nicht über den Platz, geh hinten herum.

ANDRI Warum hinten herum?

LEHRER Geh!
Andri geht hinaus.

LEHRER Der Pater wird es ihm sagen. Frag mich jetzt nicht! Du verstehst mich nicht, drum hab ich es dir nie gesagt.
Er setzt sich.
Jetzt weißt du's.

MUTTER Was wird Andri dazu sagen?

LEHRER Mir glaubt er's nicht.
Lärm in der Gasse
Hoffentlich läßt der Pöbel sie in Ruh.

MUTTER Ich versteh mehr, als du meinst, Can. Du hast sie

geliebt, aber mich hast du geheiratet, weil ich eine Andorranerin bin. Du hast uns alle verraten, aber den Andri vor allem. Fluch nicht auf die Andorraner, du selbst bist einer.

Eintritt der Pater.

Hochwürden haben eine schwere Aufgabe in diesem Haus. Hochwürden haben unsrem Andri erklärt, was das ist, ein Jud, und daß er's annehmen soll. Nun hat er's angenommen. Nun müssen Hochwürden ihm sagen, was ein Andorraner ist, und daß er's annehmen soll.

LEHRER Jetzt laß uns allein!

MUTTER Gott steh Ihnen bei, Pater Benedikt.

Die Mutter geht hinaus.

PATER Ich habe es versucht, aber vergeblich, man kann nicht reden mit ihnen, jedes vernünftige Wort bringt sie auf. Sie sollen endlich nach Hause gehen, ich hab's ihnen gesagt, und sich um ihre eignen Angelegenheiten kümmern. Dabei weiß keiner, was sie eigentlich wollen.

Andri kommt zurück.

LEHRER Wieso schon zurück?

ANDRI Sie will allein gehen, sagt sie.

Er zeigt seine Hand.

Sie hat mir das geschenkt.

LEHRER – ihren Ring?

ANDRI Ja.

LEHRER *schweigt, dann erhebt er sich.*

ANDRI Wer ist diese Senora?

LEHRER Dann begleit ich sie.

Der Lehrer geht.

PATER Was lachst du denn?

ANDRI Er ist eifersüchtig!

PATER Nimm Platz.

ANDRI Was ist eigentlich los mit euch allen?

PATER Es ist nicht zum Lachen, Andri.

ANDRI Aber lächerlich.

Andri betrachtet den Ring.

Ist das ein Topas oder was kann das sein?

PATER Andri, wir sollen sprechen miteinander.

ANDRI Schon wieder?

Andri lacht.

Alle benehmen sich heut wie Marionetten, wenn die Fäden durcheinander sind, auch Sie, Hochwürden.

Andri nimmt sich eine Zigarette.

War sie einmal seine Geliebte? Man hat so das Gefühl. Sie nicht?

Andri raucht.

Sie ist eine fantastische Frau.

PATER Ich habe dir etwas zu sagen.

ANDRI Kann man nicht stehen dazu?

Andri setzt sich.

Um zwei muß ich im Laden sein. Ist sie nicht eine fantastische Frau?

PATER Es freut mich, daß sie dir gefällt.

ANDRI Alle tun so steif.

Andri raucht.

Sie wollen mir sagen, man soll halt nicht zu einem Soldat gehn und ihm die Mütze vom Kopf hauen, wenn man weiß, daß man Jud ist, man soll das überhaupt nicht tun, und doch bin ich froh, daß ich's getan habe, ich hab etwas gelernt dabei, auch wenn's mir nichts nützt, überhaupt vergeht jetzt, seit unserm Gespräch, kein Tag, ohne daß ich etwas lerne, was mir nichts nützt, Hochwürden, so wenig wie Ihre guten Worte, ich glaub's, daß Sie es wohl meinen, Sie sind Christ von Beruf, aber ich bin Jud von Geburt, und drum werd ich jetzt auswandern.

PATER Andri –

ANDRI Sofern's mir gelingt.

Andri löscht die Zigarette.

Das wollte ich niemand sagen.

PATER Bleib sitzen!

ANDRI Dieser Ring wird mir helfen.

Der Pater schweigt.

Daß Sie jetzt schweigen, Hochwürden, daß Sie es niemand sagen, ist das Einzige, was Sie für mich tun können.

Andri erhebt sich.

Ich muß gehn.

Andri lacht.

Ich hab so etwas Gehetztes, ich weiß, Hochwürden haben ganz recht ...

PATER Sprichst du oder spreche ich?

ANDRI Verzeihung.

Andri setzt sich.

Ich höre.

PATER Andri –

ANDRI Sie sind so feierlich!

PATER Ich bin gekommen, um dich zu erlösen.

ANDRI Ich höre.

PATER Auch ich, Andri, habe nichts davon gewußt, als wir das letzte Mal miteinander redeten. Er habe ein Judenkind gerettet, so hieß es seit Jahr und Tag, eine christliche Tat, wieso sollte ich nicht dran glauben! Aber nun, Andri, ist deine Mutter gekommen –

ANDRI Wer ist gekommen?

PATER Die Senora.

ANDRI *springt auf.*

PATER Andri – du bist kein Jud.

Schweigen

PATER Du glaubst nicht, was ich dir sage?

ANDRI Nein.

PATER Also glaubst du, ich lüge?

ANDRI Hochwürden, das fühlt man.

PATER Was fühlt man?

ANDRI Ob man Jud ist oder nicht.

Der Pater erhebt sich und nähert sich Andri.

Rühren Sie mich nicht an. Eure Hände! Ich will das nicht mehr.

PATER Hörst du nicht, was ich dir sage?

ANDRI *schweigt.*

PATER Du bist sein Sohn.

ANDRI *lacht.*

PATER Andri, das ist die Wahrheit.

ANDRI Wie viele Wahrheiten habt ihr?

Andri nimmt sich eine Zigarette, die er dann vergißt.

Das könnt ihr nicht machen mit mir ...

PATER Warum glaubst du uns nicht?

ANDRI Euch habe ich ausgeglaubt.*

PATER Ich sage und schwöre beim Heil meiner Seele, Andri: Du bist sein Sohn, unser Sohn, und von Jud kann nicht die Rede sein.

ANDRI 's war aber viel die Red davon ...

Lärm in der Gasse

PATER Was ist denn los?

Stille

ANDRI Seit ich höre, hat man mir gesagt, ich sei anders, und ich habe geachtet drauf, ob es so ist, wie sie sagen. Und es ist so, Hochwürden: Ich bin anders. Man hat mir gesagt, wie meinesgleichen sich bewege, nämlich so und so, und ich bin vor den

Spiegel getreten fast jeden Abend. Sie haben recht: Ich bewege mich so und so. Ich kann nicht anders. Und ich habe geachtet auch darauf, ob's wahr ist, daß ich alleweil denke ans Geld, wenn die Andorraner mich beobachten und denken, jetzt denke ich ans Geld, und sie haben abermals recht: Ich denke alleweil ans Geld. Es ist so. Und ich habe kein Gemüt, ich hab's versucht, aber vergeblich: Ich habe kein Gemüt, sondern Angst. Und man hat mir gesagt, meinesgleichen ist feig. Auch darauf habe ich geachtet. Viele sind feig, aber ich weiß es, wenn ich feig bin. Ich wollte es nicht wahrhaben, was sie mir sagten, aber es ist so. Sie haben mich mit Stiefeln getreten, und es ist so, wie sie sagen: Ich fühle nicht wie sie. Und ich habe keine Heimat. Hochwürden haben gesagt, man muß das annehmen, und ich hab's angenommen. Jetzt ist es an Euch, Hochwürden, euren Jud anzunehmen.

PATER Andri –

ANDRI Jetzt, Hochwürden, spreche ich.

PATER – du möchtest ein Jud sein?

ANDRI Ich bin's. Lang habe ich nicht gewußt, was das ist. Jetzt weiß ich's.

PATER *setzt sich hilflos.*

ANDRI Ich möchte nicht Vater noch Mutter haben, damit ihr Tod nicht über mich komme mit Schmerz und Verzweiflung und mein Tod nicht über sie. Und keine Schwester und keine Braut: Bald wird alles zerrissen, da hilft kein Schwur und nicht unsre Treue. Ich möchte, daß es bald geschehe. Ich bin alt. Meine Zuversicht ist ausgefallen, eine um die andere, wie Zähne. Ich habe gejauchzt, die Sonne schien grün in den Bäumen, ich habe meinen Namen in die Lüfte geworfen wie eine Mütze, die niemand gehört wenn nicht mir, und herunter fällt ein Stein, der mich tötet. Ich bin im Unrecht gewesen, anders als sie dachten, allezeit. Ich wollte recht haben und frohlocken. Die meine Feinde waren, hatten recht, auch wenn sie kein Recht dazu hatten, denn am Ende seiner Einsicht kann man sich selbst nicht recht geben. Ich brauche jetzt schon keine Feinde mehr, die Wahrheit reicht aus. Ich erschrecke, so oft ich noch hoffe. Das Hoffen ist mir nie bekommen. Ich erschrecke, wenn ich lache, und ich kann nicht weinen. Meine Trauer erhebt mich über euch alle, und so werde ich stürzen. Meine Augen sind groß von Schwermut, mein Blut weiß alles, und ich möchte tot sein. Aber mir graut vor dem Sterben. Es gibt keine Gnade –

PATER Jetzt versündigst du dich.

ANDRI Sehen Sie den alten Lehrer, wie der herunterkommt und war doch einmal ein junger Mann, sagt er, und ein großer Wille. Sehen Sie Barblin. Und alle, alle, nicht nur mich. Sehen Sie die Soldaten. Lauter Verdammte. Sehen Sie sich selbst. Sie wissen heut schon, was Sie tun werden, Hochwürden, wenn man mich holt vor Ihren guten Augen, und drum starren die mich so an, Ihre guten guten Augen. Sie werden beten. Für mich und für sich. Ihr Gebet hilft nicht einmal Ihnen, Sie werden trotzdem ein Verräter. Gnade ist ein ewiges Gerücht, die Sonne scheint grün in den Bäumen, auch wenn sie mich holen.

Eintritt der Lehrer, zerfetzt.

PATER Was ist geschehen?!

LEHRER *bricht zusammen.*

PATER So reden Sie doch!

LEHRER Sie ist tot.

ANDRI Die Senora –?

PATER Wie ist das geschehen?

LEHRER – ein Stein.

PATER Wer hat ihn geworfen?

LEHRER – Andri, sagen sie, der Wirt habe es mit eignen Augen gesehen.

ANDRI *will davonlaufen, der Lehrer hält ihn fest.*

LEHRER Er war hier, Sie sind sein Zeuge.

Der Jemand tritt an die Zeugenschranke.

JEMAND Ich gebe zu: Es ist keineswegs erwiesen, wer den Stein geworfen hat gegen die Fremde damals. Ich persönlich war zu jener Stunde nicht auf dem Platz. Ich möchte niemand beschuldigen, ich bin nicht der Weltenrichter. Was den jungen Bursch betrifft: natürlich erinnere ich mich an ihn. Er ging oft ans Orchestrion, um sein Trinkgeld zu verklimpern, und als sie ihn holten, tat er mir leid. Was die Soldaten, als sie ihn holten, gemacht haben mit ihm, weiß ich nicht, wir hörten nur seinen Schrei ... Einmal muß man auch vergessen können, finde ich.

ZEHNTES BILD

Platz von Andorra, Andri sitzt allein.

ANDRI Man sieht mich von überall, ich weiß. Sie sollen mich sehen . . .
Er nimmt eine Zigarette.
Ich habe den Stein nicht geworfen!
Er raucht.
Sollen sie kommen, alle, die's gesehen haben mit eignen Augen, sollen sie aus ihren Häusern kommen, wenn sie's wagen, und mit dem Finger zeigen auf mich.

STIMME *flüstert.*

ANDRI Warum flüsterst du hinter der Mauer?

STIMME *flüstert.*

ANDRI Ich versteh kein Wort, wenn du flüsterst.
Er raucht.
Ich sitze mitten auf dem Platz, ja, seit einer Stunde. Kein Mensch ist hier. Wie ausgestorben. Alle sind im Keller. Es sieht merkwürdig aus. Nur die Spatzen auf den Drähten.

STIMME *flüstert.*

ANDRI Warum soll ich mich verstecken?

STIMME *flüstert.*

ANDRI Ich habe den Stein nicht geworfen.
Er raucht.
Seit dem Morgengrauen bin ich durch eure Gassen

geschlendert. Mutterseelenallein. Alle Läden herunter, jede Tür zu. Es gibt nur noch Hunde und Katzen in eurem schneeweißen Andorra . . .

Man hört das Gedröhn eines fahrenden Lautsprechers, ohne daß man die Worte versteht, laut und hallend.

ANDRI Du sollst kein Gewehr tragen. Hast du's gehört? 's ist aus.

Der Lehrer tritt hervor, ein Gewehr im Arm.

LEHRER Andri –

ANDRI *raucht.*

LEHRER Wir suchen dich die ganze Nacht –

ANDRI Wo ist Barblin?

LEHRER Ich war droben im Wald –

ANDRI Was soll ich im Wald?

LEHRER Andri – die Schwarzen sind da.

Er horcht.

Still.

ANDRI Was hörst du denn?

LEHRER *entsichert das Gewehr.*

ANDRI – Spatzen, nichts als Spatzen!

Vogelzwitschern

LEHRER Hier kannst du nicht bleiben.

ANDRI Wo kann ich bleiben?

LEHRER Das ist Unsinn, was du tust, das ist Irrsinn –

Er nimmt Andri am Arm.

Jetzt komm!

ANDRI Ich habe den Stein nicht geworfen –

Er reißt sich los.

Ich habe den Stein nicht geworfen!

Geräusch

LEHRER Was war das?

ANDRI Fensterläden.

Er zertritt seine Zigarette.

Leute hinter Fensterläden.

Er nimmt eine nächste Zigarette.

Hast du Feuer?

Trommeln in der Ferne

LEHRER Hast du Schüsse gehört?

ANDRI Es ist stiller als je.

LEHRER Ich habe keine Ahnung, was jetzt geschieht.

ANDRI Das blaue Wunder.*

LEHRER Was sagst du?

ANDRI Lieber tot als untertan.

Wieder das Gedröhn des fahrenden Lautsprechers

ANDRI KEIN ANDORRANER HAT ETWAS ZU FÜRCHTEN.

Hörst du's?

RUHE UND ORDNUNG / JEDES BLUTVERGIESSEN / IM NAMEN DES FRIEDENS / WER EINE WAFFE TRÄGT ODER VERSTECKT / DER OBERBEFEHLSHABER / KEIN ANDORRANER HAT ETWAS ZU FÜRCHTEN . . .

Stille

ANDRI Eigentlich ist es genau so, wie man es sich hätte vorstellen können. Genau so.

LEHRER Wovon redest du?

ANDRI Von eurer Kapitulation.

Drei Männer, ohne Gewehr, gehen über den Platz.

ANDRI Du bist der letzte mit einem Gewehr.

LEHRER Lumpenhunde.

ANDRI Kein Andorraner hat etwas zu fürchten.

Vogelzwitschern

Hast du kein Feuer?

LEHRER *starrt den Männern nach.*

ANDRI Hast du bemerkt, wie sie gehn? Sie blicken einander nicht an. Und wie sie schweigen! Wenn es dann soweit ist, merkt jeder, was er alles nie geglaubt hat. Drum gehen sie heute so seltsam. Wie lauter Lügner.

Zwei Männer, ohne Gewehr, gehen über den Platz.

LEHRER Mein Sohn –

ANDRI Fang jetzt nicht wieder an!

LEHRER Du bist verloren, wenn du mir nicht glaubst.

ANDRI Ich bin nicht dein Sohn.

LEHRER Man kann sich seinen Vater nicht wählen. Was soll ich tun, damit du's glaubst? Was noch? Ich sag es ihnen, wo ich stehe und gehe, ich hab's den Kindern in der Schule gesagt, daß du mein Sohn bist. Was noch? Soll ich mich aufhängen, damit du's glaubst? Ich geh nicht weg von dir.

Er setzt sich zu Andri.

Andri –

ANDRI *blickt an den Häusern herauf.*

LEHRER Wo schaust du hin?

Eine schwarze Fahne wird gehißt.

ANDRI Sie können's nicht erwarten.

LEHRER Woher haben sie die Fahnen?

ANDRI Jetzt brauchen sie nur noch einen Sündenbock.

Eine zweite Fahne wird gehißt.

LEHRER Komm nach Haus!

ANDRI Es hat keinen Zweck, Vater, daß du es nochmals erzählst. Dein Schicksal ist nicht mein Schicksal, Vater, und mein Schicksal ist nicht dein Schicksal.

LEHRER Mein einziger Zeuge ist tot.

ANDRI Sprich nicht von ihr!

LEHRER Du trägst ihren Ring –

ANDRI Was du getan hast, tut kein Vater.

LEHRER Woher weißt du das?

ANDRI *horcht.*

LEHRER Ein Andorraner, sagen sie, hat nichts mit einer von drüben und schon gar nicht ein Kind. Ich hatte Angst vor ihnen, ja, Angst vor Andorra, weil ich feig war –

ANDRI Man hört zu.

LEHRER – weil ich feig war, drum hab ich das gesagt. Es war leichter, damals, ein Judenkind zu haben. Es war rühmlich. Sie haben dich gestreichelt, im Anfang haben sie dich gestreichelt, denn es schmeichelte ihnen, daß sie nicht sind wie diese da drüben.

ANDRI *horcht.*

LEHRER Hörst du, was dein Vater sagt?

Geräusch eines Fensterladens.

Sollen sie zuhören!

Geräusch eines Fensterladens.

Andri –

ANDRI Sie glauben's dir nicht.

LEHRER Weil du mir nicht glaubst!

ANDRI *raucht.*

LEHRER Du mit deiner Unschuld, ja, du hast den Stein nicht geworfen, sag's noch einmal, du hast den Stein nicht geworfen, ja, du mit dem Unmaß deiner Unschuld, sieh mich an wie ein Jud, aber du bist mein Sohn, ja, mein Sohn, und wenn du's nicht glaubst, bist du verloren.

ANDRI Ich bin verloren.

LEHRER Du willst meine Schuld!?

ANDRI *blickt ihn an.*

LEHRER So sag es!

ANDRI Was?

LEHRER Ich soll mich aufhängen. Sag's!

Marschmusik in der Ferne

ANDRI Sie kommen mit Musik.

Er nimmt eine nächste Zigarette.

Ich bin nicht der erste, der verloren ist. Es hat

keinen Zweck, was du redest. Ich weiß, wer meine Vorfahren sind. Tausende und Hunderttausende sind gestorben am Pfahl, ihr Schicksal ist mein Schicksal.

LEHRER Schicksal!

ANDRI Das verstehst du nicht, weil du kein Jud bist –
Er blickt in die Gasse.
Laß mich allein!

LEHRER Was siehst du?

ANDRI Wie sie die Gewehre auf den Haufen werfen.
Auftritt der Soldat, der entwaffnet ist, er trägt nur noch die Trommel, man hört, wie Gewehre hingeworfen werden; der Soldat spricht zurück:

SOLDAT Aber ordentlich! hab ich gesagt. Wie bei der Armee!
Er tritt zum Lehrer.
Her mit dem Gewehr.

LEHRER Nein.

SOLDAT Befehl ist Befehl.

LEHRER Nein.

SOLDAT Kein Andorraner hat etwas zu fürchten.
Auftreten der Doktor, der Wirt, der Tischler, der Geselle, der Jemand, alle ohne Gewehr.

LEHRER Lumpenhunde! Ihr alle! Fötzel! Bis zum letzten Mann. Fötzel!
Der Lehrer entsichert sein Gewehr und will auf die Andorraner schießen, aber der Soldat greift ein, nach einem kurzen lautlosen Ringen ist der Lehrer entwaffnet und sieht sich um.

LEHRER – mein Sohn! Wo ist mein Sohn?
Der Lehrer stürzt davon.

JEMAND Was in den gefahren ist.*
Im Vordergrund rechts, am Orchestrion, erscheint Andri und wirft eine Münze ein, sodaß seine Melodie spielt, und verschwindet langsam.

VORDERGRUND

Während das Orchestrion spielt: zwei Soldaten in schwarzer Uniform, jeder mit einer Maschinenpistole, patrouillieren kreuzweise hin und her.

ELFTES BILD

Vor der Kammer der Barblin. Andri und Barblin. Trommeln in der Ferne.

ANDRI Hast du viele Male geschlafen mit ihm?

BARBLIN Andri.

ANDRI Ich frage, ob du viele Male mit ihm geschlafen hast, während ich hier auf der Schwelle hockte und redete. Von unsrer Flucht!

BARBLIN *schweigt.*

ANDRI Hier hat er gestanden: barfuß, weißt du, mit offnem Gurt –

BARBLIN Schweig!

ANDRI Brusthaar wie ein Affe.

BARBLIN *schweigt.*

ANDRI Ein Kerl!

BARBLIN *schweigt.*

ANDRI Hast du viele Male geschlafen mit ihm?

BARBLIN *schweigt.*

ANDRI Du schweigst ... Also wovon sollen wir reden in dieser Nacht? Ich soll jetzt nicht daran denken, sagst du. Ich soll an meine Zukunft denken, aber ich habe keine ... Ich möchte ja nur wissen, ob's viele Male war.

BARBLIN *schluchzt.*

ANDRI Und es geht weiter?

BARBLIN *schluchzt.*

ANDRI Wozu eigentlich möcht ich das wissen! Was geht's mich an! Bloß um noch einmal ein Gefühl für dich zu haben.

Andri horcht.

Sei doch still!

BARBLIN So ist ja alles gar nicht.

ANDRI Ich weiß nicht, wo die mich suchen –

BARBLIN Du bist ungerecht, so ungerecht.

ANDRI Ich werde mich entschuldigen, wenn sie kommen ...

BARBLIN *schluchzt.*

ANDRI Ich dachte, wir lieben uns. Wieso ungerecht? Ich frag ja bloß, wie das ist, wenn einer ein Kerl ist. Warum so zimperlich? Ich frag ja bloß, weil du meine Braut warst. Heul nicht! Das kannst du mir doch sagen, jetzt wo du dich als mein Schwesterlein fühlst.

Andri streicht über ihr Haar.

Ich habe zu lange gewartet auf dich ...

Andri horcht.

BARBLIN Sie dürfen dir nichts antun!

ANDRI Wer bestimmt das?

BARBLIN Ich bleib bei dir!

Stille

ANDRI Jetzt kommt wieder die Angst –

BARBLIN Bruder!

ANDRI Plötzlich. Wenn die wissen, ich bin im Haus, und sie finden einen nicht, dann zünden sie das Haus an,*das ist bekannt, und warten unten in der Gasse, bis der Jud durchs Fenster springt.

BARBLIN Andri – du bist keiner!

ANDRI Warum willst du mich denn verstecken?

Trommeln in der Ferne

BARBLIN Komm in meine Kammer!

ANDRI *schüttelt den Kopf.*

BARBLIN Niemand weiß, daß hier noch eine Kammer ist.

ANDRI – außer Peider.

Die Trommeln verlieren sich.

So ausgetilgt.

BARBLIN Was sagst du?

ANDRI Was kommt, das ist ja alles schon geschehen. Ich sage: So ausgetilgt. Mein Kopf in deinem Schoß. Erinnerst du dich? Das hört ja nicht auf. Mein Kopf in deinem Schoß. War ich euch nicht im Weg? Ich kann es mir nicht vorstellen. Wenn schon! Ich kann es mir vorstellen. Was ich wohl geredet habe, als ich nicht mehr war? Warum hast du nicht gelacht? Du hast ja nicht einmal gelacht. So ausgetilgt, so ausgetilgt! Und ich hab's nicht einmal gespürt, wenn Peider in deinem Schoß war, dein Haar in seinen Händen. Wenn schon!*Es ist ja alles schon geschehen ...

Trommeln in der Nähe

ANDRI Sie merken's, wo die Angst ist.

BARBLIN – sie gehn vorbei.

ANDRI Sie umstellen das Haus.

Die Trommeln verstummen plötzlich.

ANDRI Ich bin's, den sie suchen, das weißt du genau, ich bin nicht dein Bruder. Da hilft keine Lüge. Es ist schon zuviel gelogen worden. *Stille.* So küß mich doch!

BARBLIN Andri –

ANDRI Zieh dich aus!

BARBLIN Du hast den Verstand verloren, Andri.

ANDRI Jetzt küß mich und umarme mich!

BARBLIN *wehrt sich.*

ANDRI 's ist einerlei.

BARBLIN *wehrt sich.*

ANDRI Tu nicht so treu, du –

Klirren einer Fensterscheibe

BARBLIN Was war das?

ANDRI – sie wissen's, wo ich bin.

BARBLIN So lösch doch die Kerze!

Klirren einer zweiten Fensterscheibe

ANDRI Küß mich!

BARBLIN Nein. Nein ...

ANDRI Kannst du nicht, was du mit jedem kannst, fröhlich und nackt? Ich lasse dich nicht. Was ist anders mit andern? So sag es doch. Was ist anders? Ich küß dich, Soldatenbraut! Einer mehr oder weniger, zier dich nicht. Was ist anders mit mir? Sag's! Langweilt es dein Haar, wenn ich es küsse?

BARBLIN Bruder –

ANDRI Warum schämst du dich nur vor mir?

BARBLIN Jetzt laß mich!

ANDRI Jetzt, ja, jetzt und nie, ja, ich will dich, ja, fröhlich und nackt, ja, Schwesterlein, ja, ja, ja –

BARBLIN *schreit.*

ANDRI Denk an die Tollkirschen.

Andri löst ihr die Bluse wie einer Ohnmächtigen.

Denk an unsere Tollkirschen –

BARBLIN Du bist irr!

Hausklingel

BARBLIN Hast du gehört? Du bist verloren, Andri, wenn du uns nicht glaubst. Versteck dich!

Hausklingel

ANDRI Warum haben wir uns nicht vergiftet, Barblin, als wir noch Kinder waren, jetzt ist's zu spät ...

Schläge gegen die Haustüre

BARBLIN Vater macht nicht auf.

ANDRI Wie langsam.

BARBLIN Was sagst du?

ANDRI Ich sage, wie langsam es geht.

Schläge gegen die Haustüre

BARBLIN Herr, unser Gott, der Du bist, der Du bist, Herr, unser Allmächtiger, der Du bist in dem Himmel, Herr, Herr, der Du bist – Herr . . .

Krachen der Haustür

ANDRI Laß mich allein. Aber schnell. Nimm deine Bluse. Wenn sie dich finden bei mir, das ist nicht gut. Aber schnell. Denk an dein Haar.

Stimmen im Haus. Barblin löscht die Kerze, Tritte von Stiefeln, es erscheinen der Soldat mit der Trommel und zwei Soldaten in schwarzer Uniform, ausgerüstet mit einem Scheinwerfer: Barblin, blusenlos, allein vor der Kammer.

SOLDAT Wo ist er?

BARBLIN Wer?

SOLDAT Unser Jud.

BARBLIN Es gibt keinen Jud.

SOLDAT *stößt sie weg und tritt zur Türe.*

BARBLIN Untersteh dich!

SOLDAT Aufmachen.

BARBLIN Hilfe! Hilfe!

ANDRI *tritt aus der Türe.*

SOLDAT Das ist er.

ANDRI *wird gefesselt.*

BARBLIN Rührt meinen Bruder nicht an, er ist mein Bruder –

SOLDAT Die Judenschau wird's zeigen.

BARBLIN Judenschau?

SOLDAT Also vorwärts.

BARBLIN Was ist das.

SOLDAT Vorwärts. Alle müssen vor die Judenschau. Vorwärts.

Andri wird abgeführt.

SOLDAT Judenhure!*

VORDERGRUND

Der Doktor tritt an die Zeugenschranke.

DOKTOR Ich möchte mich kurz fassen, obschon vieles zu berichtigen wäre, was heute geredet wird. Nachher ist es immer leicht zu wissen, wie man sich hätte verhalten sollen, abgesehen davon, daß ich, was meine Person betrifft, wirklich nicht weiß, warum ich mich anders hätte verhalten sollen. Was hat unsereiner denn eigentlich getan? Überhaupt nichts. Ich war Amtsarzt, was ich heute noch bin. Was ich damals gesagt haben soll, ich erinnere mich nicht mehr, es ist nun einmal meine Art, ein Andorraner sagt, was er denkt – aber ich will mich kurz fassen ... Ich gebe zu: Wir haben uns damals alle getäuscht, was ich selbstverständlich nur bedauern kann. Wie oft soll ich das noch sagen? Ich bin nicht für Greuel, ich bin es nie gewesen. Ich habe den jungen Mann übrigens nur zwei- oder dreimal gesehen. Die Schlägerei, die später stattgefunden haben soll, habe ich nicht gesehen. Trotzdem verurteile ich sie selbstverständlich. Ich kann nur sagen, daß es nicht meine Schuld ist, einmal abgesehen davon, daß sein Benehmen (was man leider nicht verschweigen kann) mehr und mehr (sagen wir es offen) etwas Jüdisches hatte, obschon der junge Mann, mag sein, ein Andorraner war wie unsereiner. Ich bestreite keineswegs, daß wir sozusagen einer gewissen Aktualität erlegen sind. Es war, vergessen wir nicht, eine aufgeregte Zeit. Was meine Person betrifft, habe ich nie an Mißhandlungen teilgenommen oder irgend jemand dazu aufgefordert. Das darf ich wohl vor aller Öffentlichkeit*betonen. Eine tragische Geschichte, kein Zweifel. Ich bin nicht schuld, daß es dazu gekommen ist. Ich glaube im Namen aller zu sprechen, wenn ich, um zum Schluß zu kommen, nochmals wiederhole, daß wir den Lauf der Dinge – damals – nur bedauern können.

ZWÖLFTES BILD

Platz von Andorra. Der Platz ist umstellt von Soldaten in schwarzer Uniform. Gewehr bei Fuß, reglos. Die Andorraner, wie eine Herde im Pferch, warten stumm, was geschehen soll. Lange geschieht nichts. Es wird nur geflüstert.

DOKTOR Nur keine Aufregung. Wenn die Judenschau vorbei ist, bleibt alles wie bisher. Kein Andorraner hat etwas zu fürchten, das haben wir schwarz auf weiß. Ich bleibe Amtsarzt, und der Wirt bleibt Wirt, Andorra bleibt andorranisch ...

Trommeln

GESELLE Jetzt verteilen sie die schwarzen Tücher.

Es werden schwarze Tücher ausgeteilt.

DOKTOR Nur jetzt kein Widerstand.

Barblin erscheint, sie geht wie eine Verstörte von Gruppe zu Gruppe, zupft die Leute am Ärmel, die ihr den Rücken kehren, sie flüstert etwas, was man nicht versteht.

WIRT Jetzt sagen sie plötzlich, er sei keiner.

JEMAND Was sagen sie?

WIRT Er sei keiner.

DOKTOR Dabei sieht man's auf den ersten Blick.

JEMAND Wer sagt das?

WIRT Der Lehrer.

DOKTOR Jetzt wird es sich ja zeigen.

Wirt Jedenfalls hat er den Stein geworfen.

Jemand Ist das erwiesen?

Wirt Erwiesen!?

Doktor Wenn er keiner ist, wieso versteckt er sich denn? Wieso hat er Angst? Wieso kommt er nicht auf den Platz wie unsereiner?

Wirt Sehr richtig.

Doktor Wieso soll er keiner sein?

Wirt Sehr richtig.

Jemand Sie haben ihn gesucht die ganze Nacht, heißt es.

Doktor Sie haben ihn gefunden.

Jemand Ich möchte auch nicht in seiner Haut stecken.*

Wirt Jedenfalls hat er den Stein geworfen –

Sie verstummen, da ein schwarzer Soldat kommt, sie müssen die schwarzen Tücher in Empfang nehmen. Der Soldat geht weiter.

Doktor Wie sie einem ganzen Volk diese Tücher verteilen: ohne ein lautes Wort! Das nenne ich Organisation. Seht euch das an! Wie das klappt.

Jemand Die stinken aber.

Sie schnuppern an ihren Tüchern.

Jemand Angstschweiß . . .

Barblin kommt zu der Gruppe mit dem Doktor und dem Wirt, zupft sie am Ärmel und flüstert, man kehrt ihr den Rücken, sie irrt weiter.

Jemand Was sagt sie?

Doktor Das ist ja Unsinn.

Wirt Das wird sie teuer zu stehen kommen.*

Doktor Nur jetzt kein Widerstand.

Barblin tritt zu einer andern Gruppe, zupft sie am Ärmel und flüstert, man kehrt ihr den Rücken, sie irrt weiter.

Wirt Wenn ich es mit eignen Augen gesehen hab! Hier an dieser Stelle. Erwiesen? Er fragt, ob das erwiesen sei. Wer sonst soll diesen Stein geworfen haben?

JEMAND Ich frag ja bloß.

WIRT Einer von uns vielleicht?

JEMAND Ich war nicht dabei.

WIRT Aber ich!

DOKTOR *legt den Finger auf den Mund.*

WIRT Hab ich vielleicht den Stein geworfen?

DOKTOR Still.

WIRT – ich?

DOKTOR Wir sollen nicht sprechen.

WIRT Hier, genau an dieser Stelle, bitte sehr, hier lag der Stein, ich hab ihn ja selbst gesehen, ein Pflasterstein, ein loser Pflasterstein, und so hat er ihn genommen –

Der Wirt nimmt einen Pflasterstein.

– so . . .

Hinzu tritt der Tischler.

TISCHLER Was ist los?

DOKTOR Nur keine Aufregung.

TISCHLER Wozu diese schwarzen Tücher?

DOKTOR Judenschau.

TISCHLER Was sollen wir damit?

Die schwarzen Soldaten, die den Platz umstellen, präsentieren plötzlich das Gewehr: ein Schwarzer, in Zivil, geht mit flinken kurzen Schritten über den Platz.

DOKTOR Das war er.

TISCHLER Wer?

DOKTOR Der Judenschauer.

*Die Soldaten schmettern das Gewehr bei Fuß.**

WIRT – und wenn der sich irrt?

DOKTOR Der irrt sich nicht.

WIRT – was dann?

DOKTOR Wieso soll er sich irren?

WIRT – aber gesetzt den Fall: was dann?

DOKTOR Der hat den Blick. Verlaßt euch drauf! Der riecht's. Der sieht's am bloßen Gang, wenn einer über den Platz geht. Der sieht's an den Füßen.

JEMAND Drum sollen wir die Schuh ausziehen?

DOKTOR Der ist als Judenschauer geschult.

Barblin erscheint wieder und sucht Gruppen, wo sie noch nicht gewesen ist, sie findet den Gesellen, zupft ihn am Ärmel und flüstert, der Geselle macht sich los.

GESELLE Du laß mich in Ruh!

Der Doktor steckt sich einen Zigarillo an.

Die ist ja übergeschnappt. Keiner soll über den Platz gehn, sagt sie, dann sollen sie uns alle holen. Sie will ein Zeichen geben. Die ist ja übergeschnappt.

Ein schwarzer Soldat sieht, daß der Doktor raucht, und tritt zum Doktor, das Gewehr mit aufgepflanztem Bajonett stoßbereit, der Doktor erschrickt, wirft seinen Zigarillo aufs Pflaster, zertritt ihn und ist bleich.

GESELLE Sie haben ihn gefunden, heißt es . . .

Trommeln

Jetzt geht's los.

Sie ziehen die Tücher über den Kopf.

WIRT Ich zieh kein schwarzes Tuch über den Kopf!

JEMAND Wieso nicht?

WIRT Das tu ich nicht!

GESELLE Befehl ist Befehl.

WIRT Wozu das?

DOKTOR Das machen sie überall, wo einer sich versteckt. Das habt ihr davon.* Wenn wir ihn ausgeliefert hätten sofort –

Der Idiot erscheint.

WIRT Wieso hat der kein schwarzes Tuch?

JEMAND Dem glauben sie's, daß er keiner ist.

Der Idiot grinst und nickt, geht weiter, um überall die Vermummten zu mustern und zu grinsen. Nur der Wirt steht noch unvermummt.

WIRT Ich zieh kein schwarzes Tuch über den Kopf!

VERMUMMTER Dann wird er ausgepeitscht.

WIRT – ich?

VERMUMMTER Er hat das gelbe Plakat nicht gelesen.

WIRT Wieso ausgepeitscht?

Trommelwirbel

VERMUMMTER Jetzt geht's los.

VERMUMMTER Nur keine Aufregung.

VERMUMMTER Jetzt geht's los.

Trommelwirbel

WIRT Ich bin der Wirt. Warum glaubt man mir nicht? Ich bin der Wirt, jedes Kind weiß, wer ich bin, ihr alle, euer Wirt ...

VERMUMMTER Er hat Angst!

WIRT Erkennt ihr mich denn nicht?

VERMUMMTE Er hat Angst, er hat Angst!

Einige Vermummte lachen.

WIRT Ich zieh kein schwarzes Tuch über den Kopf ...

VERMUMMTER Er wird ausgepeitscht.

WIRT Ich bin kein Jud!

VERMUMMTER Er kommt in ein Lager.

WIRT Ich bin kein Jud!

VERMUMMTER Er hat das gelbe Plakat nicht gelesen.

WIRT Erkennt ihr mich nicht? Du da? Ich bin der Wirt. Wer bist du? Das könnt ihr nicht machen. Ihr da! Ich bin der Wirt, ich bin der Wirt. Erkennt ihr mich nicht? Ihr könnt mich nicht einfach im Stich lassen. Du da. Wer bin ich?

Der Wirt hat den Lehrer gefaßt, der eben mit der Mutter erschienen ist, unvermummt.

LEHRER Du bist's, der den Stein geworfen hat?

Der Wirt läßt den Pflasterstein fallen.

LEHRER Warum sagst du, mein Sohn hat's getan?

Der Wirt vermummt sich und mischt sich unter die Vermummten, der Lehrer und die Mutter stehen allein.

LEHRER Wie sie sich alle vermummen!

Pfiff

VERMUMMTER Was soll das bedeuten?

VERMUMMTER Schuh aus.

VERMUMMTER Wer?

VERMUMMTER Alle.

VERMUMMTER Jetzt?

VERMUMMTER Schuh aus, Schuh aus.

VERMUMMTER Wieso?

VERMUMMTER Er hat das gelbe Plakat nicht gelesen ...

Alle Vermummten knien nieder, um ihre Schuhe auszuziehen, Stille, es dauert eine Weile.

LEHRER Wie sie gehorchen!

Ein schwarzer Soldat kommt, auch der Lehrer und die Mutter müssen ein schwarzes Tuch nehmen.

VERMUMMTER Ein Pfiff, das heißt, Schuh aus. Laut Plakat. Und zwei Pfiff, das heißt: marschieren.

VERMUMMTER Barfuß?

VERMUMMTER Was sagt er?

VERMUMMTER Schuh aus, Schuh aus.

VERMUMMTER Und drei Pfiff, das heißt: Tuch ab.

VERMUMMTER Wieso Tuch ab?

VERMUMMTER Alles laut Plakat.

VERMUMMTER Was sagt er?

VERMUMMTER Alles laut Plakat.

VERMUMMTER Was heißt zwei Pfiff?

VERMUMMTER Marschieren?
VERMUMMTER Wieso barfuß?
VERMUMMTER Und drei Pfiff, das heißt: Tuch ab.
VERMUMMTER Wohin mit den Schuhn?
VERMUMMTER Wieso Tuch ab?
VERMUMMTER Wohin mit den Schuhn?
VERMUMMTER Tuch ab, das heißt: das ist der Jud.
VERMUMMTER Alles laut Plakat.
VERMUMMTER Kein Andorraner hat etwas zu fürchten.
VERMUMMTER Was sagt er?
VERMUMMTER Kein Andorraner hat etwas zu fürchten.
VERMUMMTER Wohin mit den Schuhn?

Der Lehrer, unvermummt, tritt mitten unter die Vermummten und ist der Einzige, der steht.

LEHRER Andri ist mein Sohn.
VERMUMMTER Was können wir dafür.*
LEHRER Hört ihr, was ich sage?
VERMUMMTER Was sagt er?
VERMUMMTER Andri sei sein Sohn.
VERMUMMTER Warum versteckt er sich denn?
LEHRER Ich sage: Andri ist mein Sohn.
VERMUMMTER Jedenfalls hat er den Stein geworfen.
LEHRER Wer von euch sagt das?
VERMUMMTER Wohin mit den Schuhn?
LEHRER Warum lügt ihr? Einer von euch hat's getan. Warum sagt ihr, mein Sohn hat's getan –

Trommelwirbel

Wer unter ihnen der Mörder ist, sie untersuchen es nicht. Tuch drüber! Sie wollen's nicht wissen. Tuch darüber! Daß einer sie fortan bewirtet mit Mörderhänden, es stört sie nicht. Wohlstand ist alles! Der Wirt bleibt Wirt, der Amtsarzt bleibt Amtsarzt. Schau sie dir an! wie sie ihre Schuhe richten in Reih und Glied. Alles laut Plakat!* Und einer von ihnen ist doch ein Meuchelmörder. Tuch darüber! Sie hassen nur den, der sie daran erinnert –

Trommelwirbel

Ihr seid ein Volk!*Herrgott im Himmel, den es nicht gibt zu eurem Glück,*ihr seid ein Volk!

Auftritt der Soldat mit der Trommel.

SOLDAT Bereit?

Alle Vermummten erheben sich, ihre Schuhe in der Hand.

SOLDAT Die Schuh bleiben am Platz. Aber ordentlich! Wie bei der Armee. Verstanden? Schuh neben Schuh. Wird's? Die Armee ist verantwortlich für Ruhe und Ordnung. Was macht das für einen Eindruck! Ich habe gesagt: Schuh neben Schuh. Und hier wird nicht gemurrt.

Der Soldat prüft die Reihe der Schuhe.

Die da!

VERMUMMTER Ich bin der Wirt.

SOLDAT Zu weit hinten!

Der Vermummte richtet seine Schuhe aus.

SOLDAT Ich verlese nochmals die Order.

Ruhe

SOLDAT »Bürger von Andorra! Die Judenschau ist eine Maßnahme zum Schutze der Bevölkerung in befreiten Gebieten, bzw. zur Wiederherstellung von Ruhe und Ordnung. Kein Andorraner hat etwas zu fürchten. Ausführungsbestimmungen siehe gelbes Plakat.« Ruhe! »Andorra, 15. September, Der Oberbefehlshaber.« – Wieso haben Sie kein Tuch überm Kopf?

LEHRER Wo ist mein Sohn?

SOLDAT Wer?

LEHRER Wo ist Andri?

SOLDAT Der ist dabei, keine Sorge, der ist uns nicht durch

die Maschen gegangen.* Der marschiert. Barfuß wie alle andern.

LEHRER Hast du verstanden, was ich sage?

SOLDAT Ausrichten! Eindecken!*

LEHRER Andri ist mein Sohn.

SOLDAT Das wird sich jetzt zeigen –

Trommelwirbel

SOLDAT Ausrichten! Eindecken!

Die Vermummten ordnen sich.

SOLDAT Also, Bürger von Andorra, verstanden: 's wird kein Wort geredet, wenn der Judenschauer da ist. Ist das klar? Hier geht's mit rechten Dingen zu,* das ist wichtig. Wenn der Judenschauer pfeift: stehenbleiben auf der Stelle. Verstanden? Achtungstellung wird nicht verlangt. Ist das klar? Achtungstellung macht nur die Armee, weil sie's geübt hat. Wer kein Jud ist, ist frei. Das heißt: Ihr geht sofort an die Arbeit. Ich schlag die Trommel.

Der Soldat tut es.

Und so einer nach dem andern. Wer nicht stehenbleibt, wenn der Judenschauer pfeift, wird auf der Stelle erschossen. Ist das klar?

Glockenbimmeln

LEHRER Wo bleibt der Pater in dieser Stunde?

SOLDAT Der betet wohl für den Jud!

LEHRER Der Pater weiß die Wahrheit –

Auftritt der Judenschauer

SOLDAT Ruhe!

Die schwarzen Soldaten präsentieren das Gewehr und verharren in dieser Haltung, bis der Judenschauer, der sich wie ein schlichter Beamter benimmt, sich auf den Sessel gesetzt hat inmitten des Platzes. Gewehr bei Fuß. Der Judenschauer nimmt seinen Zwicker ab, putzt ihn, setzt ihn wieder auf.

Auch der Lehrer und die Mutter sind jetzt vermummt. Der Judenschauer wartet, bis das Glokkenbimmeln verstummt ist, dann gibt er ein Zeichen; zwei Pfiffe.

SOLDAT Der erste!

Niemand rührt sich.

Los, vorwärts, los!

Der Idiot geht als erster.

Du doch nicht!

Angstgelächter unter den Vermummten

Ruhe!

Trommelschlag

Was ist denn los, verdammt nochmal, ihr sollt über den Platz gehen wie gewöhnlich. Also los – vorwärts!

Niemand rührt sich.

Kein Andorraner hat etwas zu fürchten ...

Barblin, vermummt, tritt vor.

Hierher!

Barblin tritt vor den Judenschauer und wirft ihm das schwarze Tuch vor die Stiefel.

Was soll das?

BARBLIN Das ist das Zeichen.

Bewegung unter den Vermummten

BARBLIN Sag's ihm: Kein Andorraner geht über den Platz! Keiner von uns! Dann sollen sie uns peitschen. Sag's ihm! Dann sollen sie uns alle erschießen.

Zwei schwarze Soldaten fassen Barblin, die sich vergeblich wehrt. Niemand rührt sich. Die schwarzen Soldaten ringsum haben ihre Gewehre in den Anschlag genommen. Alles lautlos. Barblin wird weggeschleift.

SOLDAT ... Also los jetzt. Einer nach dem andern. Muß man euch peitschen? Einer nach dem andern.

Jetzt gehen sie.
Langsam, langsam!
Wer vorbei ist, zieht das Tuch vom Kopf.
Die Tücher werden zusammengefaltet. Aber ordentlich! hab ich gesagt. Sind wir ein Saustall hierzuland? Das Hoheitszeichen kommt oben rechts. Was sollen unsre Ausländer sich denken!
Andere gehen zu langsam.
Aber vorwärts, daß es Feierabend gibt.
Der Judenschauer mustert ihren Gang aufmerksam, aber mit der Gelassenheit der Gewöhnung und von seiner Sicherheit gelangweilt. Einer strauchelt über den Pflasterstein.
Schaut euch das an!

VERMUMMTER Ich heiße Prader.

SOLDAT Weiter.

VERMUMMTER Wer hat mir das Bein gestellt?

SOLDAT Niemand.
Der Tischler nimmt sein Tuch ab.

SOLDAT Weiter, sag ich, weiter. Der Nächste. Und wer vorbei ist, nimmt sofort seine Schuh. Muß man euch alles sagen, Herrgott nochmal, wie in einem Kindergarten?
Trommelschlag

TISCHLER Jemand hat mir das Bein gestellt.

SOLDAT Ruhe!
Einer geht in falscher Richtung.

SOLDAT Wie die Hühner, also wie die Hühner!
Einige, die vorbei sind, kichern.

VERMUMMTER Ich bin der Amtsarzt.

SOLDAT Schon gut, schon gut.

DOKTOR *nimmt sein Tuch ab.*

SOLDAT Nehmen Sie Ihre Schuh.

DOKTOR Ich kann nicht sehen, wenn ich ein Tuch über dem

Kopf habe. Das bin ich nicht gewohnt. Wie soll ich gehen, wenn ich keinen Boden sehe!

SOLDAT Weiter, sag ich, weiter.

DOKTOR Das ist eine Zumutung!

SOLDAT Der Nächste.

Trommelschlag

SOLDAT Könnt ihr eure verdammten Schuh nicht zuhaus anziehen? Wer frei ist, hab ich gesagt, nimmt seine Schuh und verschwindet. Was steht ihr da herum und gafft?

Trommelschlag

SOLDAT Der Nächste.

DOKTOR Wo sind meine Schuhe? Jemand hat meine Schuhe genommen. Das sind nicht meine Schuhe.

SOLDAT Warum nehmen Sie grad die?

DOKTOR Sie stehen an meinem Platz.

SOLDAT Also wie ein Kindergarten!

DOKTOR Sind das vielleicht meine Schuhe?

Trommelschlag

DOKTOR Ich gehe nicht ohne meine Schuhe.

SOLDAT Jetzt machen Sie keine Krämpfe! *

DOKTOR Ich gehe nicht barfuß. Das bin ich nicht gewohnt. Und sprechen Sie anständig mit mir. Ich lasse mir diesen Tonfall nicht gefallen.

SOLDAT Also was ist denn los?

DOKTOR Ich mache keine Krämpfe.

SOLDAT Ich weiß nicht, was Sie wollen.

DOKTOR Meine Schuhe.

Der Judenschauer gibt ein Zeichen; ein Pfiff.

SOLDAT Ich bin im Dienst!

Trommelschlag

SOLDAT Der Nächste.

Niemand rührt sich.

DOKTOR Das sind nicht meine Schuhe!

SOLDAT *nimmt ihm die Schuhe aus der Hand.*

DOKTOR Ich beschwere mich, jawohl, ich beschwere mich, jemand hat meine Schuhe vertauscht, ich gehe keinen Schritt und wenn man mich anschnauzt, schon gar nicht.

SOLDAT Wem gehören diese Schuh?

DOKTOR Ich heiße Ferrer –

SOLDAT Wem gehören diese Schuh?
Er stellt sie vorne an die Rampe.
's wird sich ja zeigen!

DOKTOR Ich weiß genau, wem die gehören.

SOLDAT Also weiter!
Trommelschlag

SOLDAT Der Nächste.
Niemand rührt sich.

DOKTOR – ich habe sie.
Niemand rührt sich.

SOLDAT Wer hat denn jetzt wieder Angst?
Sie gehen wieder einer nach dem andern, das Verfahren ist eingespielt, sodaß es langweilig wird. Einer von denen, die vorbeigegangen sind vor dem Judenschauer und das Tuch vom Kopf nehmen, ist der Geselle.*

GESELLE Wie ist das mit dem Hoheitszeichen?

EINER Oben rechts.

GESELLE Ob er schon durch ist?
Der Judenschauer gibt wieder ein Zeichen; drei Pfiffe.

SOLDAT Halt!
Der Vermummte steht.
Tuch ab.
Der Vermummte rührt sich nicht.
Tuch ab, Jud, hörst du nicht!
Der Soldat tritt zu dem Vermummten und nimmt

ihm das Tuch ab, es ist der Jemand, starr vor Schrecken.

Der ist's nicht. Der sieht nur so aus, weil er Angst hat. Der ist es nicht. So hab doch keine Angst! Der sieht nämlich ganz anders aus, wenn er lustig ist...

Der Judenschauer hat sich erhoben, umschreitet den Jemand, mustert lang und beamtenhaft – unbeteiligt – gewissenhaft. Der Jemand entstellt sich zusehends. Der Judenschauer hält ihm seinen Kugelschreiber unters Kinn.

SOLDAT Kopf hoch, Mensch, starr nicht wie einer!

Der Judenschauer mustert noch die Füße, setzt sich wieder und gibt einen nachlässigen Wink.

SOLDAT Hau ab, Mensch!*

Entspannung in der Menge

DOKTOR Der irrt sich nicht. Was hab ich gesagt? Der irrt sich nie, der hat den Blick . . .

Trommelschlag

SOLDAT Der Nächste.

Sie gehen wieder im Gänsemarsch.

Was ist denn das für eine Schweinerei, habt ihr kein eignes Taschentuch, wenn ihr schwitzt, ich muß schon sagen!

Ein Vermummter nimmt den Pflasterstein.

Heda, was macht denn der?

VERMUMMTER Ich bin der Wirt –

SOLDAT Was kümmert Sie dieser Pflasterstein?

VERMUMMTER Ich bin der Wirt – ich – ich –

Der Wirt bleibt vermummt.

SOLDAT Scheißen Sie deswegen nicht in die Hose!*

Es wird da und dort gekichert, wie man über eine beliebte lächerliche Figur kichert, mitten in diese bängliche Heiterkeit hinein fällt der dreifache Pfiff auf das Zeichen des Judenschauers.

SOLDAT Halt. –

Der Lehrer nimmt sein Tuch ab.

Nicht Sie, der dort, der andre!

Der Vermummte rührt sich nicht.

Tuch ab!

Der Judenschauer erhebt sich.

DOKTOR Der hat den Blick. Was hab ich gesagt? Der sieht's am Gang . . .

SOLDAT Drei Schritt vor!

DOKTOR Er hat ihn . . .

SOLDAT Drei Schritt zurück!

Der Vermummte gehorcht.

Lachen!

DOKTOR Er hört's am Lachen . . .

SOLDAT Lachen! oder sie schießen.

Der Vermummte versucht zu lachen.

Lauter!

Der Vermummte versucht zu lachen.

DOKTOR Wenn das kein Judenlachen ist . . .

Der Soldat stößt den Vermummten.

SOLDAT Tuch ab, Jud, es hilft dir nichts. Tuch ab. Zeig dein Gesicht. Oder sie schießen.

LEHRER Andri?!

SOLDAT Ich zähl auf drei.

Der Vermummte rührt sich nicht.

SOLDAT Eins –

LEHRER Nein!

SOLDAT Zwei –

Der Lehrer reißt ihm das Tuch ab.

SOLDAT Drei . . .

LEHRER Mein Sohn!

Der Judenschauer umschreitet und mustert Andri.

LEHRER Er ist mein Sohn!

Der Judenschauer mustert die Füße, dann gibt er

ein Zeichen, genau so nachlässig wie zuvor, aber ein anderes Zeichen, und zwei schwarze Soldaten übernehmen Andri.

TISCHLER Gehn wir.

MUTTER *tritt vor und nimmt ihr Tuch ab.*

SOLDAT Was will jetzt die?

MUTTER Ich sag die Wahrheit.

SOLDAT Ist Andri dein Sohn?

MUTTER Nein.

SOLDAT Hört ihr's! Hört ihr's?

MUTTER Aber Andri ist der Sohn von meinem Mann –

WIRT Sie soll's beweisen.

MUTTER Das ist wahr. Und Andri hat den Stein nicht geworfen, das weiß ich auch, denn Andri war zu Haus, als das geschehn ist. Das schwör ich. Ich war selbst zu Haus. Das weiß ich und das schwör ich bei Gott, dem Allmächtigen, der unser Richter ist in Ewigkeit.

WIRT Sie lügt.

MUTTER Laßt ihn los!

Der Judenschauer erhebt sich nochmals.

SOLDAT Ruhe!

Der Judenschauer tritt nochmals zu Andri und wiederholt die Musterung, dann kehrt er die Hosentaschen von Andri, Münzen fallen heraus, die Andorraner weichen vor dem rollenden Geld, als ob es Lava wäre, der Soldat lacht.

SOLDAT Judengeld.

DOKTOR Der irrt sich nicht . . .

LEHRER Was Judengeld? Euer Geld, unser Geld. Was habt ihr denn andres in euren Taschen?

Der Judenschauer betastet das Haar.

LEHRER Warum schweigst du?!

ANDRI *lächelt.*

LEHRER Er ist mein Sohn, er soll nicht sterben, mein Sohn, mein Sohn!

Der Judenschauer geht, die Schwarzen präsentieren das Gewehr; der Soldat übernimmt die Führung.

SOLDAT Woher dieser Ring?

TISCHLER Wertsachen hat er auch . . .

SOLDAT Her damit!

ANDRI Nein.

SOLDAT Also her damit!

ANDRI Nein – bitte . . .

SOLDAT Oder sie hauen dir den Finger ab.

ANDRI Nein! Nein!

Andri setzt sich zur Wehr.

TISCHLER Wie er sich wehrt um seine Wertsachen . . .

DOKTOR Gehn wir . . .

Andri ist von schwarzen Soldaten umringt und nicht zu sehen, als man seinen Schrei hört, dann Stille. Andri wird abgeführt.

LEHRER Duckt euch. Geht heim. Ihr wißt von nichts. Ihr habt es nicht gesehen. Ekelt euch. Geht heim vor euren Spiegel und ekelt euch.

Die Andorraner verlieren sich nach allen Seiten, jeder nimmt seine Schuhe.

SOLDAT Der braucht jetzt keine Schuh mehr.

Der Soldat geht.

JEMAND Der arme Jud. –

WIRT Was können wir dafür.

TISCHLER Mir einen Korn.

TISCHLER Das mit dem Finger ging zu weit . . .

DOKTOR Mir auch einen Korn.

TISCHLER Da sind noch seine Schuh.

DOKTOR Gehn wir hinein.

TISCHLER Das mit dem Finger ging zu weit . . .

Tischler, Doktor und Wirt verschwinden in der Pinte. Die Szene wird dunkel, das Orchestrion fängt von selbst an zu spielen, die immergleiche Platte. Wenn die Szene wieder hell wird, kniet Barblin und weißelt das Pflaster des Platzes; Barblin ist geschoren. Auftritt der Pater. Die Musik hört auf.

BARBLIN Ich weißle, ich weißle.

PATER Barblin!

BARBLIN Warum soll ich nicht weißeln, Hochwürden, das Haus meiner Väter?

PATER Du redest irr.

BARBLIN Ich weißle.

PATER Das ist nicht das Haus deines Vaters, Barblin.

BARBLIN Ich weißle, ich weißle.

PATER Es hat keinen Sinn.

BARBLIN Es hat keinen Sinn.

Auftritt der Wirt.

WIRT Was macht denn die hier?

BARBLIN Hier sind seine Schuh.

WIRT *will die Schuh holen.*

BARBLIN Halt!

PATER Sie hat den Verstand verloren.

BARBLIN Ich weißle, ich weißle. Was macht ihr? Wenn ihr nicht seht, was ich sehe, dann seht ihr: Ich weißle.

WIRT Laß das!

BARBLIN Blut, Blut, Blut überall.

WIRT Das sind meine Tische!

BARBLIN Meine Tische, deine Tische, unsre Tische.

WIRT Sie soll das lassen!

BARBLIN Wer bist du?

PATER Ich habe schon alles versucht.

BARBLIN Ich weißle, ich weißle, auf daß wir ein weißes Andorra haben, ihr Mörder, ein schneeweißes Andorra, ich weißle euch alle – alle.

Auftritt der ehemalige Soldat.

BARBLIN Er soll mich in Ruh lassen, Hochwürden, er hat ein Aug auf mich, Hochwürden, ich bin verlobt.

SOLDAT Ich habe Durst.

BARBLIN Er kennt mich nicht.

SOLDAT Wer ist die?

BARBLIN Die Judenhure Barblin.

SOLDAT Verschwinde!

BARBLIN Wer bist du?

Barblin lacht.

Wo hast du deine Trommel?

SOLDAT Lach nicht!

BARBLIN Wo hast du meinen Bruder hingebracht?

Auftritt der Tischler mit dem Gesellen.

BARBLIN Woher kommt ihr, ihr alle, wohin geht ihr, ihr alle, warum geht ihr nicht heim, ihr alle, ihr alle, und hängt euch auf?

TISCHLER Was sagt sie?

BARBLIN Der auch!

WIRT Die ist übergeschnappt.

SOLDAT Schafft sie doch weg.

BARBLIN Ich weißle.

TISCHLER Was soll das?*

BARBLIN Ich weißle, ich weißle.

Auftritt der Doktor.

BARBLIN Haben Sie einen Finger gesehn?

DOKTOR *sprachlos.*

BARBLIN Haben Sie keinen Finger gesehn?

SOLDAT Jetzt aber genug!

PATER Laßt sie in Ruh.

WIRT Sie ist ein öffentliches Ärgernis.
TISCHLER Sie soll uns in Ruh lassen.
WIRT Was können wir dafür.
GESELLE Ich hab sie ja gewarnt.
DOKTOR Ich finde, sie gehört in eine Anstalt.
BARBLIN *starrt.*
PATER Ihr Vater hat sich im Schulzimmer erhängt. Sie sucht ihren Vater, sie sucht ihr Haar, sie sucht ihren Bruder.
Alle, außer Pater und Barblin, gehen in die Pinte.
PATER Barblin, hörst du, wer zu dir spricht?
BARBLIN *weißelt das Pflaster.*
PATER Ich bin gekommen, um dich heimzuführen.
BARBLIN Ich weißle.
PATER Ich bin der Pater Benedikt.
BARBLIN *weißelt das Pflaster.*
PATER Ich bin der Pater Benedikt.
BARBLIN Wo, Pater Benedikt, bist du gewesen, als sie unsern Bruder geholt haben*wie Schlachtvieh, wie Schlachtvieh, wo? Schwarz bist du geworden, Pater Benedikt ...
PATER *schweigt.*
BARBLIN Vater ist tot.
PATER Das weiß ich, Barblin.
BARBLIN Und mein Haar?
PATER Ich bete für Andri jeden Tag.
BARBLIN Und mein Haar?
PATER Dein Haar, Barblin, wird wieder wachsen –
BARBLIN Wie das Gras aus den Gräbern.
Der Pater will Barblin wegführen, aber sie bleibt plötzlich stehen und kehrt zu den Schuhen zurück.
PATER Barblin – Barblin ...
BARBLIN Hier sind seine Schuh. Rührt sie nicht an! Wenn er wiederkommt, das hier sind seine Schuh.*

ANMERKUNGEN

Namen
Die folgenden Namen werden auf der letzten Silbe betont: Barblin, Andri, Prader, Ferrer, Fedri. Hingegen wird auf der ersten Silbe betont: Peider.

Kostüm
Das Kostüm darf nicht folkloristisch sein. Die Andorraner tragen heutige Konfektion, es genügt, daß ihre Hüte eigentümlich sind, und sie tragen fast immer Hüte. Eine Ausnahme ist der Doktor, sein Hut ist Weltmode. Andri trägt blue-jeans. Barblin trägt, auch wenn sie zur Prozession geht, Konfektion, dazu einen Schal mit andorranischer Stickerei. Alle tragen weiße Hemden, niemand eine Kravatte, ausgenommen wieder der Doktor. Die Senora, als einzige, erscheint elegant, aber nicht aufgedonnert. Die Uniform der andorranischen Soldaten ist olivgrau. Bei der Uniform der Schwarzen ist jeder Anklang an die Uniform der Vergangenheit zu vermeiden.

Typen
Einige Rollen könnten zur Karikatur verführen. Das sollte unter allen Umständen vermieden werden. Es genügt, daß es Typen sind. Ihre Darstellung sollte so sein, daß der Zuschauer vorerst zur Sympathie eingeladen wird, mindestens zur Duldung, indem alle harmlos erscheinen, und daß er sich immer etwas zu spät von ihnen distanziert, wie in Wirklichkeit.

Bild
Das Grundbild für das ganze Stück ist der Platz von Andorra. Gemeint ist ein südländischer Platz, nicht pittoresk, kahl, weiß mit wenigen Farben unter finsterblauem Himmel. Die Bühne soll so leer wie möglich sein. Ein Prospekt im Hintergrund deutet an, wie man sich Andorra vorzustellen hat; auf der Spielfläche steht nur, was die Schauspieler brauchen. Alle

Szenen, die nicht auf dem Platz von Andorra spielen, sind davorgestellt. Kein Vorhang zwischen den Szenen, nur Verlegung des Lichts auf den Vordergrund. Es braucht kein Anti-Illusionismus demonstriert zu werden, aber der Zuschauer soll daran erinnert bleiben, daß ein Modell gezeigt wird, wie auf dem Theater eigentlich immer.

NOTES

p 9 **Michelin-Männchen:** the well-known advertisement of the French 'Michelin' tyre, showing a smiling rotund little man made of tyres.

p 12 **Kindermord zu Bethlehem:** the Massacre of the Innocents.

p 17 **das geht auf die Nieren:** 'that upsets you'.

p 20 **Du bist blau** (coll.): 'You're tight.'

Hosenscheißer!: A coarse insult, suggesting cowardice; say, 'Yellow rat!'

p 21 **Trester:** a cheap wine, made of grape skin.

p 23 **Das steht fest?:** 'That's certain?'

Man wird ein blaues Wunder erleben!: 'They'll have the surprise of their lives.'

wir scheißen in die Hosen: a very coarse expression; say, 'we'll be in a blue funk'.

p 31 **Tschersi:** German pronunciation of 'Jersey'.

Linksaußen: 'outside-left'.

einen Eckball bring ich schon herein: 'I'll be able to take a corner.'

p 33 **lobpreiset eure Zedern vom Libanon:** a sarcastic allusion to the 'cedars of Lebanon' in the Old Testament.

p 35 **Klagemauer:** the Wailing Wall in Jerusalem, where the Jews used to lament the destruction of their Temple.

p 37 **es sei ihm recht geschehen:** 'it served him right'.

es lag halt auch an ihm: 'it was his fault too'.

p 39 **er hat von sich reden gemacht:** 'he got himself talked about'.

ich gebe nichts auf Titel: 'I don't attach much importance to titles'.

p 40 **Titel hin oder her:** 'title or no title'.

p 41 **obschon ich sie nicht riechen kann:** 'although I can't stand the sight of them.'

p 42 **der Spaß versteht:** 'who can take a joke'.
p 43 **Der hat uns noch gefehlt:** 'He's the last straw.'
ein für allemal: 'once and for all'.
p 44 **Ich hab's nicht gezählt und gebucht . . . untergelaufen ist:** 'I haven't made a note of all my mistakes as an educator.'
ein großes Tier: 'a big noise'.
p 45 **'s ist auch nichts dran:** 'There is nothing in it.'
p 46 **Soll er:** 'Let him.'
p 47 **wo:** coll. for 'when'.
p 49 **zu schad für:** 'too good for'.
p 50 **sein Trinkgeld verklimpert:** 'wasted his tips by playing . . .'
p 55 **Kann man finden . . .:** the wrong position of the verb is characteristic of Jewish jargon.
p 56 **ich mach dich zur Sau:** 'I'll beat you to a jelly.'
p 59 **ich kann nicht anders:** 'I can't help it.'
p 63 **Einstein:** German physicist of Jewish origin, 1879–1955.
Spinoza: Dutch philosopher of Jewish origin, 1632–1677.
p 64 **Du sollst dir kein Bildnis machen von Gott . . .:** 'Thou shalt not make unto thee any graven image . . .': the beginning of the Second Commandment. In these words, the Pater touches upon the central idea of the play.
p 65 **Zigarillo:** a small cigar.
Pfui Teufel!: 'Disgusting!'
p 66 **Schon:** 'True enough.'
p 67 **. . . ist kein Ausdruck:** '. . . isn't the word for it'.
Spitzelin is gut: 'Spyess is rich.' 'Spitzelin' is a non-existent word, indicating the Journeyman's lack of education.
p 68 **Das fehlte noch:** 'That would be the last straw.'
p 70 **Spitzel hin und her:** 'spy or no spy'.
p 72 **Jetzt mach mich zur Sau:** 'Now beat me to a jelly.' A reminder of the Soldier's earlier threat (see p 56).
p 74 **darauf legen sie's an:** 'that's what they bank on'.

p 84 **Euch habe ich ausgeglaubt:** 'I'm through with believing you.'

p 85 **Jetzt ist es an Euch:** 'Now it's up to you.'

p 91 **Das blaue Wunder:** 'The surprise of their lives.' A reference to the Soldier's earlier words (see p. 23).

p 94 **Was in den gefahren ist:** 'What's got into him?'

p 97 **dann zünden sie das Haus an . . .:** a reminder of the methods used by the Nazi troops during the uprising in the Warsaw ghetto, 1943.

p 98 **Wenn schon!:** 'So what?'

p 100 **Judenhure!:** An expression used by the Nazis for a girl who had a love affair with a Jew. As a sign of disgrace, she frequently had her hair cut off – as happens to Barblin later on.

p 102 **vor aller Öffentlichkeit:** 'publicly'.

p 104 **in seiner Haut stecken:** 'to be in his shoes'.

Das wird sie teuer zu stehen kommen: 'She'll pay dearly for that.'

p 105 **schmettern das Gewehr bei Fuß:** 'order arms with a crash'.

p 106 **Das habt ihr davon:** 'That's what you get for it.'

p 109 **Was können wir dafür:** 'What can we do about it?'

laut Plakat: 'according to the poster'.

p 110 **Ihr seid ein Volk!:** 'What a nation you are!'

zu eurem Glück: 'luckily for you'.

p 111 **der ist uns nicht durch die Maschen gegangen:** 'he didn't slip through our net'.

Ausrichten! Eindecken!: military commands: 'Dress by the right! Close up!'

Hier geht's mit rechten Dingen zu: 'Here everything goes according to the book.'

p 114 **Jetzt machen Sie keine Krämpfe:** 'Don't start kicking up a fuss!'

p 115 **Das Verfahren ist eingespielt:** 'The procedure has become automatic.'

p 116 **Hau ab, Mensch!:** 'Beat it, man!'

Scheißen Sie deswegen nicht in die Hose!: a very

coarse expression, approximately: 'That's no reason to wet your pants!'

p 121 **Was soll das?:** 'What's the idea?'

p 122 **als sie unsern Bruder geholt haben:** her words echo faintly the Lord's question to Cain: 'Where is Abel thy brother?'

das hier sind seine Schuh: Andri's shoes call to mind the piles of shoes and other belongings left behind by the victims in Nazi extermination camps.

SELECT VOCABULARY

der Aberglaube, superstition
abführen, to lead away
abgesehen davon, apart from (the fact)
abhauen, to hack off
abmachen, to settle, to agree
abseits, on the side
abstreifen, to take off
achten, to respect
achten (auf), to watch
achthaben, to watch out, to keep an eye
die Achtungstellung, standing at attention
ächzen, to groan
der Acker, field
ahnen, to sense
die Ahnung, idea, notion
die Aktualität, topicality
alleweil, always
der Amtsarzt, medical officer
die Anbiederung making friends, making up to
andeuten, to indicate
die Angelegenheit, affair
der Angstschweiß, sweat of fear, cold sweat
der Anklang, touch, resemblance
der Anlauf, run
anregen, to stimulate
der Anschlag, firing position (for rifle)
sich anschließen, to join
anschnauzen, to shout at, to bully
das Ansehen, reputation
die Anstalt, (lunatic) asylum
anstreichen, to mark
antun, to harm
das Ärgernis, nuisance
artig, well behaved
ärztlich, medical
auffordern, to urge
aufgedonnert, ostentatiously dressed
aufpflanzen, to fix (bayonet)
sich aufrichten, to sit up
das Aufsehen, attention
auseinander, parted, divided
die Ausführungsbestimmung, detailed instruction
ausliefern, to hand over
auspeitschen, to flog
ausrechnen, to work out
ausrichten, to straighten out
ausrüsten, to equip
aussaugen, to suck out
austilgen, to wipe out

auswandern, to emigrate
ausweichen, to give way

bänglich, anxious
das Bauamt, surveyor's department
beamtenhaft, like an official
bedauern, to regret
begaffen, to stare at
im Begriff zu, about to
behäbig, corpulent
behandeln, to treat
beharrlich, persistent
sich beherrschen, to control oneself
das Bein stellen, to trip up (trans.)
sich bekreuzigen, to cross oneself
sich bekümmern, to worry
der Belang, interest
die Belästigung, molestation
beliebt, popular
berichtigen, to correct
sich berufen auf, to appeal to
sich beruhigen, to calm down
beschaffen, to get, to obtain
bescheiden, modest, humble
beschimpfen, to abuse
beschuldigen, to accuse
sich beschweren, to complain
bestehen, to pass (examination)
die Bestellung, order
bestreiten, to deny
betasten, to feel (trans.)
betonen, to stress, to emphasize
betreffen, to concern
der Beutel, purse
sich bewähren, to prove oneself
der Beweis, proof
bewirten, to serve, to attend to
beziehen, to refer
bimmeln, to tinkle, to toll
blau (coll.), tight
der Blödian, fool, bonehead
das Blutvergießen, shedding of blood
die Börse, stock-exchange
die Braut, fiancée
brüllen, to roar, to shout
die Buche, beech
buchen, to book
sich bücken, to steep
der Bückling, bow
die Bude (coll.), shop
buhlen (*um*), to strive for

die Darstellung, representation
der Daumen, thumb
deinesgleichen, the likes of you, your sort
sich distanzieren, to dissociate oneself
der Draht, wire
drohen, to threaten
sich ducken, to duck, to cringe
der Duft, smell, scent
dulden, to suffer, to tolerate

die Duldung, toleration
durcheinander, mixed up

der Eber, wild boar
der Egel, leech
der Ehrgeiz, ambition
eifersüchtig, jealous
eigentümlich, peculiar
sich eignen, to be suitable
der Eimer, bucket
einerlei, all the same
einpacken, to pack up
die Einsicht, insight, understanding
ekelhaft, disgusting
ekeln, to disgust
sich empören, to be indignant
entlassen, to dismiss
sich entrüsten, to be indignant
das Entsetzen, horror
sich entsetzen, to be shocked
entsichern, to unlock the safety catch, to cock
die Entspannung, relaxing (of tension)
entstellen, to disfigure, to change appearance
sich entziehen, to draw away
entzünden, to inflame
erliegen, to succumb
erlösen, to redeem
erweisen, to prove
der Erzieher, educator
die Existenz (derogatory), fellow, chap

der Faden, thread
der Fallschirm, parachute
feilschen, to haggle
fesseln, to fetter
das Findelkind, foundling
flink, fast
der Fluch, curse
fluchen, to curse
der Flüchtling, refugee
fortan, henceforth
der Fötzel (dial.), good-for-nothing, blackguard
die Fräse, lathe
frohlocken, to rejoice, to jeer
der Frosch, frog
der Funke, spark
der Fußtritt, kick

gaffen, to gape, to stare
der Gang, walk
der Gänsemarsch, single file
das Gastrecht, hospitality
geben (auf), to attach importance to
gedenken, to mean to
das Gedröhn, roar
geil, lecherous
die Gelassenheit, casualness, nonchalance
die Geliebte, mistress
gemein, mean
die Gemeinheit, meanness, dirty trick
das Gemüt, feeling, heart
genau nehmen, to take seriously
das Genick, nape of neck
geradezu, downright
das Gerücht, rumour

gescheit, clever
das *Geschöpf,* creature
das *Geschwätz,* stupid talk
der *Geselle,* journeyman
gesetzt, suppose
gespannt, tense
das *Gespenst,* ghost
gewissenhaft, conscientious
die *Gnade,* grace
es *graut mir,* I have a horror of
der *Greuel,* atrocity, horror
grinsen, to grin
grölen, to bawl
großartig, magnificent
das *Grundbild,* basic setting
der *Gurt,* belt, strap

der *Haken,* upper-cut (boxing)
hallen, to echo, to reverberate
halt, just
es *handelt sich um,* it is about
der *Hang,* tendency
hauen, to beat
der *Haufen,* heap
hegen, to cherish
das *Heil,* salvation
die *Heiterkeit,* hilarity
sich *herausstellen,* to turn out
die *Herde,* flock
die *Herkunft,* origin
heulen, to cry, to blub
die *Heuschrecke,* locust
hetzen, to harass
hierzuland, in this country
hinwiederum, again
hinzutreten, to approach, to join
hissen, to hoist
Hochwürden, Reverend Father
hocken, to squat, to crouch, to sit
das *Hoheitszeichen,* national emblem
der *Hohn,* scorn
der *Hort,* treasure, sanctuary
die *Hühnerbrust* (lit. chicken chest), pigeon chest
hundsgemein, very mean, rotten
die *Hure,* whore

immerfort, constantly
der *Inbegriff,* essence, incarnation
innehalten, to stop
irr, mad, demented
der *Irrsinn,* madness

jauchzen, to exult
die *Judenschau,* Jew inspection
der *Judenschauer,* Jew inspector
die *Jungfrau,* virgin

die *Kanalisation,* sewerage
die *Kaserne,* barracks
kichern, to giggle
kippen, to tilt, to knock back
der *Kirchendiener,* sacristan
die *Klagemauer,* wailing wall

klappen, to come off, to go smoothly
die Klimperkiste (coll.) jukebox
klirren, to tinkle
der Klotz (coll.), money, dough
die Kluft, cleft, gulf
knallen, to bang, to slam
der Knopf, knob
die Konfektion, ready-made clothes
der Korn, brandy
krachen, to crack
kramen, to rummage
der Krämer, pedlar
kränken, to hurt
der Krawall, uproar
kreuz und quer, criss-cross
kreuzweise, crosswise
die Kröte, toad
krümmen (ein Haar), to hurt a hair
der Kugelschreiber, ballpoint pen
sich kümmern, to bother, to worry

der Laden, shutter
das Lager, camp
der Lappen, rag, cloth
lauern, to lurk
laut (adv.), according to
lauter (adv.), nothing but
die Lehre, apprenticeship, lesson
die Lehrlingsprobe, apprenticeship test
der Lehrstuhl, university chair
leibhaftig, real, flesh and blood
leiden, to bear, to suffer
der Leim, glue
leimen, to glue
sich leisten, to afford
liegen (w. dative), to suit
lobpreisen, to praise
der Lohn, wages
löschen, to put out
lose, loose
lösen, to loosen, to undo
losgehen, to start
loskommen, to break loose
der Lumpenhund, scoundrel
lungern, to lounge
die Lupe, magnifying glass

sich machen aus, to care about
der Makler, broker
die Masche, mesh
die Maßnahme, measure
das Maul (coll.), mouth, trap
meinesgleichen, my kind
meinetwegen, for all I care
das Meßgewand, chasuble
der Meßknabe, server
der Meuchelmörder, treacherous murderer, assassin
mies (coll.), bad
mißhandeln, to maltreat
die Mißhandlung, maltreatment
mißtrauisch, distrusting, suspicious
das Morgengrauen, dawn
die Mücke, midge, gnat

die Münze, coin
murren, to mumble, to grumble
mustern, to examine
die Musterung, examination
die Muttergottes, Virgin Mary
mutterseelenallein, all alone

nachlässig, casual
nachplappern, to repeat, to babble after
neidisch (auf), envious
neuerdings, recently, now
nicken, to nod
die Niere, kidney
die Not, distress
notgedrungen, perforce

obendrein, on top of it, in addition
der Oberbefehlshaber, commander-in-chief
die Öffentlichkeit, public
ohnmächtig, unconscious
das Orchestrion, juke-box

packen, to seize
der Panzer, armoured car
der Pater, priest
peinlich, awkward, embarrassing
peitschen, to whip, to flog
der Pfahl, pole, stake
der Pferch, cattle pen
das Pflaster, pavement
der Pflasterstein, paving stone
die Pflegemutter, foster mother
der Pflegesohn, foster son
der Pinsel, brush
die Pinte (dial.), inn, pub
die Plage, pest, nuisance
das Plakat, poster
plappern, to babble
der Plattenwähler, record selector
der Plattfuß, flat foot
platzen, to burst
der Platzregen, cloud-burst
plaudern, to chat
der Pöbel, mob
der Prachtskerl, splendid fellow
der Prospekt, backcloth
das Publikum, audience
putzen, to polish

die Rachsucht, vindictiveness
der Radau, din
die Rampe, footlights
räudig, mangy
rechnen, to reckon
rechtgeben, to agree with
rechtsumkehrt, right about turn
regelrecht, regular, real
reglos, motionless
reichen, to hand, to hold out
richten, to judge
riegeln, to bolt
ringen, to wrestle
der Roggen, rye
rühmlich, admirable, praiseworthy
rührend, touching
rundheraus, frankly, in plain terms

sachlich, objective
saftig, juicy
die Sau, sow
saufen, to booze
saugen, to suck
der Saustall, pigsty
der Schal, shawl, scarf
scharf, keen
die Schärfe, acuteness
der Scharfsinn, sagacity, shrewdness
der Scheinwerfer, searchlight
scheren, to shear, to crop
schief ansehen, to scowl
schielen, to squint
schlachten, to slaughter
das Schlachtvieh, beast taken to slaughter
die Schlaflosigkeit, insomnia
schlagartig, in a flash
die Schlägerei, brawl, beating-up
der Schlegel, drumstick
schleichen, to sneak, to slink
die Schleuder, sling
schlicht, plain, modest
schlottern, to shiver
schluchzen, to sob
schlurfen, to shuffle
schmähen, to insult
schmeicheln, to flatter
der Schnaps, brandy
schnarchen, to snore
der Schneid, pluck, guts
schnorren, to wheedle
die Schnorrerei, wheedling
schnuppern, to sniff
schöpfen, to ladle out
der Schoß, lap
schuld sein, to be blamed
die Schürze, apron
der Schwanz, tail
schwatzen, to talk rubbish
die Schweinerei, filthy behaviour
die Schwelle, threshold
die Schwermut, melancholy
schwitzen, to sweat
schwül, sultry, close
der Schwur, vow
selbstverständlich, naturally, of course
die Sichel, sickle
die Sicherheit, certainty, assuredness
die Sintflut, the Flood (biblical)
sofern, as far as, if
sich sorgen (um), to look after
der Spatz, sparrow
die Spielfläche, acting area
der Spitzel, spy
sprengen, to burst, to break open
stampfen, to stamp, to kick
starr, rigid
der Stecken, stick, pole
steif, stiff
sternhagelvoll, soused
die Steuer, tax
im Stich lassen, to let down, to abandon
die Stickerei, embroidery
der Stiefel, boot

stimmen, to be true, to be correct
die Stirn, forehead
stolpern, to stagger, to stumble
die Stores (pl.), blinds
stoßbereit, at the ready
stramm, strong, fit
straucheln, to stumble, to trip over
streicheln, to stroke, to fondle
der Sündenbock, scapegoat

tauchen, to dip
taugen, to be good
sich täuschen, to be mistaken
teilnehmen, to participate
die Tischlerei, carpenter's shop
toben, to rage, to go mad
toll, mad, smashing
die Tollkirsche, deadly nightshade
der Tonfall, tone of speech
die Trauer, sorrow
treten, to kick
die Tribüne grand-stand
der Trommelwirbel, drum-roll
der Trotz, defiance
die Trümmer (pl.), debris
die Tünche, whitewash

übelnehmen, to take amiss
die Überempfindlichkeit, oversensitiveness
überfallen, to attack
die Übermacht, superior numbers
überschnappen, to crack (mentally)
übertreiben, to exaggerate
üblich, customary
der Umgang, association, intercourse
umgekehrt, the other way round
sich umbringen, to kill oneself
die Umleitung, diversion, bypass
umringen, to surround
umstellen, to surround
die Umwelt, environment
die Unannehmlichkeit, unpleasantness, trouble
die Unart, bad habit
unbedingt, absolute
unbeteiligt, indifferent
der Unfug, rubbish
das Unmaß, immensity, enormity
sich unterstehen, to dare
der Untertan, subject
unverkennbar, unmistakable
der Urlaub, leave

verachten, to despise
verdanken, to owe
verdrießen, to annoy, to exasperate
das Verfahren, procedure
verflucht, damned
verführen, to seduce
das Vergehen, offence
vergiften, to poison

das Verhalten, attitude, behaviour
sich verhalten, to behave
das Verhältnis, relationship
verharren, to remain
verhauen, to beat up
sich verkrachen, to quarrel
verkracht, failed, rotten
sich verlassen (auf), to rely on
die Verlegung, displacement, change
verlesen, to read out
sich verloben, to get engaged
vermeintlich, supposed
das Vermögen, fortune
vermummen, to mask
sich verneigen, to bow
verpflichtet, committed
verschlucken, to swallow
verschüchtert, timid
verschweigen, to keep silent about
versteinern, to petrify
verstockt, reticent
verstört, demented
verstummen, to fall silent
sich versündigen, to commit a sin
vertauschen, to exchange
verteilen, to distribute
verurteilen, to condemn, to pass sentence on
verweisen (auf), to refer to
verwurzelt sein, to be rooted
verzagen, to despair
verzapfen, to mortise, to dovetail
verzichten (auf), to renounce
sich verziehen, to stroll away, to push off
das Vieh, beast, swine
die Vogelscheuche, scarecrow
vonwegen (coll.), because of
(im) voraus, ahead, in advance
der Vorfahre, ancestor
vorfallen, to happen
vorlaut, impertinent
sich vorstellen, to imagine
der Vorwand, pretext
der Vorwurf, reproach

wach, alert
wackeln, to wobble
die Wade, calf (part of leg)
wahnsinnig, mad
wahrhaben, to admit
wahrnehmen, to perceive
wanken, to totter
die Watte, cotton wool
wegschleifen, to drag away
die Wehr, defence
sich wehren, to defend oneself
das Weihrauchgefäß, censer
weißeln, to whitewash
weitermachen, to carry on
das Weltgewissen, world conscience
die Wendung, turn
die Werbung, wooing
die Werkstatt, workshop
die Wertsache, valuable
widerfahren, to happen, to befall

widerlegen, to refute
der Widerstand, resistance
die Wiederherstellung, restoration
der Wink, sign
der Wohlstand, prosperity
der Wucher, usury

die Zeder, cedar
zerfetzen, to tear to shreds
zerfressen, to eat up
zergliedern, to dissect, to analyse
zertreten, to stamp out
zerzausen, to rumple, to ruffle
das Zeug, stuff, rubbish
der Zeuge, witness
die Zeugenschranke, witness-box
sich zieren, to be prudish
zimperlich, prim, gingerly
das Zivil, civilian clothes, mufti
zögern, to hesitate
das Zucken, twitch
der Zug, feature
zugeben, to admit
zugeboren, native, innate
zuleid tun, to do harm
die Zumutung, impertinence
zupfen, to pluck, to tug
zurücksetzen, to neglect, to treat badly
zusammenfalten, to fold up
die Zuversicht, confidence
der Zwicker, pince-nez
zwitschern, to twitter